CW00959458

DOUCE FRANCE

Karine Tuil est l'autrice de douze romans, parmi lesquels *Tout sur mon frère*, *Quand j'étais drôle* ou encore *Douce France*. Quatre d'entre eux ont déjà fait partie de la sélection du prix Goncourt (*Interdit*, *La Domination*, *Six mois, six jours* et *L'Invention de nos vies*). *Les Choses humaines* a obtenu le prix Interallié en 2019. Plusieurs de ses livres sont traduits à l'étranger.

KARINE TUIL

Douce France

ROMAN

GRASSET

© Éditions Grasset & Fasquelle, 2007.
ISBN : 978-2-253-12285-2 – 1re publication LGF

« Vous aimerez l'étranger, vous qui avez été étrangers dans le pays d'Égypte. »

DEUTÉRONOME 10-19.

Pour Ariel.

1

Du plus loin que je me souvienne, je me suis toujours sentie en situation irrégulière. Il me semblait qu'à tout moment quelqu'un pouvait surgir chez moi en hurlant : *Police ! Contrôle d'identité !* et me contraindre à le suivre. C'était absurde, personne n'avait jamais songé à me mettre à la porte, mon casier judiciaire était vierge, j'étais née en France et je n'envisageais aucune action terroriste. Pourtant, rien ne me terrifiait plus que la vision de policiers en uniforme. On eût dit que je cachais un cadavre dans mon sac à dos alors que tout ce que je dissimulais sous le masque de la citoyenne tranquille, c'était ma peur. Une appréhension réelle, sournoise, qui se manifestait par des palpitations, des tremblements incontrôlables. Lorsque j'apercevais des voitures de police, je bifurquais, changeais de route, j'avais des réflexes de gangster alors que j'étais un écrivain sans antécédents criminels. Mes parents, des Juifs d'Afrique du Nord qui avaient émigré en France à l'âge de dix-sept ans, m'avaient élevée dans la crainte. Juifs, ils voulaient se faire discrets ; immigrés naturalisés au début des années 60, ils se sentaient inférieurs aux « vrais » Français comme s'il en existait des faux, détenteurs de papiers falsifiés, arborant des sourires factices, des citoyens de seconde zone, en somme, catégorie dans laquelle ils se rangeaient instinctivement sans que personne les eût identifiés comme tels. Sur l'échelle de l'étrangeté, mes parents comptaient double. Aussi, quand, le mois dernier, j'ai été arrêtée par erreur avec des immigrés clandestins lors d'un contrôle d'identité sauvage opéré par des policiers en civil, je me suis laissé prendre, je ne me suis presque pas rebellée, j'avais anticipé ce moment, mon éducation m'y avait, d'une certaine façon, préparée.

Tout s'est passé en quelques minutes, tôt le matin. Je me trouvais devant un magasin d'outillage, une grande surface dédiée au bricolage, des articles à prix cassés. L'adresse que se passaient sous le manteau les chefs d'entreprise français à la recherche de sans-papiers, bradés eux aussi – un ami m'avait dit que j'y trouverais une main-d'œuvre bon marché pour aménager une bibliothèque dans mon studio. Une trentaine d'ouvriers étrangers, la plupart originaires d'Europe de l'Est, se tenaient immobiles, à côté de l'entrée principale, adossés à un parapet. Des sacs de sport gisaient à leurs pieds. Je me suis dirigée vers eux, mais avant même d'avoir pu articuler le moindre mot, près d'une dizaine d'hommes et une femme ont surgi de deux camionnettes blanches immatriculées en Pologne en hurlant : « Police ! Contrôle d'identité ! » Je ne les avais pas vus venir. Des centaines d'oiseaux effrayés se sont envolés, tavelant le ciel bleu. Des hommes se sont mis à courir dans tous les sens, à crier dans des langues que je ne comprenais pas, je voyais leurs mouvements désordonnés, leurs yeux révulsés et leurs mains qui tiraient, s'agrippaient, des mains rêches, aux ongles cassés qui en disaient long sur *les origines de l'immigration en France.* Les policiers nous ont ordonné de rester calmes, nous ne les écoutions pas, la panique nous gagnait. Comment aurions-nous pu rester sereins quand des hommes nous assaillaient de toutes parts alors que rien, dans notre comportement, ne trahissait la moindre intention délictuelle ? En quelques secondes, nous avions tous été encerclés. Seuls quelques-uns avaient pu s'enfuir en traversant la route pour rejoindre les bords de Seine. J'ai entendu des crissements de pneus aussitôt couverts par des clameurs qui s'élevaient de la foule. Des clients sont sortis du magasin, se sont massés autour de nous, ils observaient la scène sans bouger, avec sur le visage une expression d'effroi mêlé de fascination.

Calmez-vous !

Je me suis retrouvée à côté d'un homme qui devait avoir une dizaine d'années de plus que moi, quarante, quarante-deux ans peut-être, un brun au visage émacié, au regard dur, des yeux qui d'emblée questionnaient, jugeaient. Ses cheveux, légèrement bouclés et vaporeux, lui tombaient presque jusqu'aux épaules. Quelques mèches voilaient son front et ses paupières dont j'entrapercevais la peau fine, violacée par endroits. Il était élancé et musculeux, un peu androgyne, c'est ce que j'ai tout de suite remarqué, l'extrême finesse de ses traits et aussi la façon dont il m'a dévisagée comme s'il cherchait à capter mon attention. Il portait un jean noir, trop long, des chaussures marron, à bout carré, et une veste en jean brut avec un col en velours beige, très à la mode dans les années 80. Il m'a saisie par le bras et m'a dit de ne pas bouger, dans un français correct marqué par un fort accent d'Europe de l'Est : « Si vous vous enfuyez et qu'ils vous rattrapent, vous pouvez être envoyée en prison, expulsée et interdite de territoire. »

Je suis française.

Il m'a regardée fixement, avec une certaine perplexité. Au même moment, les policiers ont dit qu'ils voulaient vérifier la régularité de notre présence sur le sol français et j'ai eu peur – contrôler l'identité de quelqu'un, c'est déjà délégitimer sa présence. Ils ont exigé de voir nos papiers, j'ai hoché la tête, sans parvenir à émettre le moindre son. Je ne voulais pas avoir affaire à la police française, la Mémoire est une vieille Juive hystérique, tu lui dis de se taire, elle hurle encore plus fort, *Souviens-toi ! Souviens-toi !* tu n'as plus d'autre

14

choix que de Lui obéir avec la peur que ça recommence, pas de répit pour les Préposés au Devoir de Mémoire. Les hommes ont répondu qu'ils ne possédaient pas leur passeport sur eux. Plus tard, j'ai appris que c'était une technique utilisée par tous les clandestins : ne jamais donner son passeport pour gagner du temps et retarder l'application de la mesure de reconduite à la frontière. Car une fois que les autorités françaises ont procédé à l'identification du pays d'origine, elles n'ont plus qu'à obtenir les laissez-passer que les consulats étrangers, moyennant une cinquantaine d'euros, leur accordent en quelques jours. « Vos papiers », ont répété les policiers d'une voix ferme.

J'étais nerveuse, j'avais les mains moites. La policière qui se tenait face à moi était sereine, exactement la femme que j'aurais voulu être : longue et osseuse, 1,80 mètre peut-être, un regard bleu-vert surmonté de cils arachnéens, des lèvres fines, gercées par le froid, et des cheveux blonds coupés au carré, tout droit sortis de l'enfance. J'étais petite, brune aux cheveux longs, bouclés, avec un visage parsemé de taches de rousseur et un nez qui avait été persécuté. La blonde, elle, restait calme comme il est d'usage dans la police. J'enviais ses traits apaisés et sa façon presque détachée de nous demander nos papiers, comme si c'était légitime alors qu'il n'y avait pas mort d'homme, vol à main armée ou viol en réunion.

L'homme qui se tenait à mes côtés s'est présenté sous le nom de Yuri Statkevitch et a refusé de donner sa nationalité.

— Qu'est-ce que vous êtes venu faire en France ? a demandé la policière.

— Du tourisme.

Elle a ouvert son sac de sport : pêle-mêle, des outils, une perceuse, du petit matériel.

— Et vous visitez Paris avec un sac à outils ?

Elle n'a pas attendu sa réponse pour lui passer les menottes et l'a fait entrer, tête la première, dans le véhicule. Elle m'a regardée comme si j'étais la tête pensante du groupe : « Et toi, tu traînes ici pour trouver du travail au noir c'est ça ? » J'ai répondu que j'étais française, qu'il y avait une erreur, *je m'appelle Claire Funaro, je suis née à Paris, un instant, je vais vous montrer mes papiers d'identité,* et en prononçant ces mots, j'ai fouillé la poche de mon blouson : mon portefeuille qui contenait mes papiers d'identité et ma carte bancaire avait disparu. Il avait dû tomber de ma poche dans l'affolement général. A moins que quelqu'un ne me l'eût volé. J'ai été prise d'un élan de panique : sans papiers, je n'étais qu'une anonyme parmi d'autres, je redoutais l'utilisation frauduleuse de ma carte bancaire, je ne pouvais pas prouver qui j'étais ni justifier ma présence devant un magasin d'outillage en compagnie de clandestins à une heure aussi matinale. J'ai dit : « Je vous assure que je suis française » sur un ton monocorde qui dissimulait mal mon désarroi. « C'est ce que tu diras au juge », a répliqué

16

la jeune policière en me menottant les mains derrière le dos avant de me pousser à l'intérieur de la voiture. J'ai répété : « Je suis française, je suis française » et Yuri Statkevitch a exercé une pression de ses doigts sur ma cuisse pour me faire taire.

J'ai tout de suite eu le sentiment de vivre un événement exceptionnel. J'étais ce voyeur, ce passant immobile assistant à l'évacuation de grands blessés, un témoin aux instincts morbides. Poussez-vous, je veux voir : la violence, le bruit, les cris et où les emmène-t-on ? Laissez-moi passer, je suis de la famille. Des hommes criaient, tentaient de se débattre. Je pensais : Qu'est-ce que je suis en train de vivre ? (Une arrestation massive, une rafle.) Qu'est-ce que je dois faire ? (Mais la question, une fois émise, ne m'intéressait plus, je savais intuitivement que je devais rester.) Quelqu'un a claqué la portière. Je n'ai plus rien entendu. Des plaques rougeâtres commençaient à se former sur la partie inférieure de mon avant-bras, le métal limait ma peau. J'ai fait cliqueter mes menottes pour attirer l'attention des policiers qui nous escortaient, j'espérais qu'ils les desserreraient. Au lieu de cela, ils ont tous bouclé leurs ceintures de sécurité par respect pour la supériorité juridique du code de la route sur la Déclaration des droits de l'homme. Bien sûr, j'aurais dû leur répéter que j'étais française quand ils m'ont emmenée au commissariat, mais je n'étais plus très sûre, j'avais des antécédents familiaux – on est toujours l'immigré de quelqu'un.

Pendant le trajet, Yuri Statkevitch est resté extrêmement calme. J'observais son visage pâle que de larges cernes assombrissaient. Il me troublait. Je ne connaissais pas cet homme, ne savais rien de lui ; pourtant, cette promiscuité imposée me rassurait ; un lien intime se renforçait entre nous, au-delà de la violence qui l'avait tissé. J'étais attirée par lui sans que je fusse capable d'expliquer pourquoi. A moins qu'il n'y eût déjà en moi la conviction que cette rencontre ne serait pas fortuite, qu'elle me mènerait à l'écriture. C'était peut-être la violence, cette froide détermination avec laquelle on nous avait arrêtés, qui avaient activé certaines défenses, certains réflexes que l'histoire, les enseignements tragiques de la mémoire juive, les mécanismes obscurs de la transmission avaient fabriqués, génération après génération, et dont je devenais, malgré moi, la pâle héritière. Aujourd'hui, avec l'abandon que l'écriture autorise, je sais que cette histoire ne pouvait arriver qu'à moi. En un sens, il s'agit de *mon* histoire.

2

Le choc, d'abord (et toujours cet effroi indescriptible, cette rage qui montait en moi, une forme de révolte que je maîtrisais mal, on enfermait des hommes, des femmes, on les retenait *physiquement* au seul motif qu'ils ne justifiaient pas de leur identité). L'arrivée au commissariat. Tous présumés coupables. Des étrangers. Des sans-papiers. La fouille minutieuse, *tournez-vous, videz vos poches, les mains en l'air* – mais qu'avions-nous à cacher à part notre identité ? Ces claquements dans ma tête à intervalles réguliers, Clac ! Clac ! Clac ! Et cette douleur dans la poitrine, caillot coincé dans l'aorte, prêt à éclater – mauvais sang.

La tension, ensuite. Les nerfs à vif. L'organisation quasi militaire. Les affaires personnelles, les lacets des chaussures, les ceintures : confisqués. L'enfermement dans une pièce sans fenêtre sur l'extérieur. A plusieurs, sur un banc (crasseux, recouvert de graffitis obscènes). Les yeux fixés sur le mur d'un gris sale. Les effluves de sueur, d'urine et de tabac froid. Et ces voix entremêlées qui répétaient *J'ai pas tué, j'ai pas volé, j'ai rien fait*, litanie expiatoire ayant force de preuve : un comportement citoyen – pensaient-ils – accorderait le droit de rester en France. *T'es qu'une merde de clandestin des pays de l'Est*, a dit un petit brun de type maghrébin à l'un des hommes qui étaient assis à nos côtés. Puis, interpellant un gendarme : *J'ai rien à voir avec ces voleurs, je suis algérien, ma famille est en France.*

C'est-ce-que-vous-direz-au-juge.

La plupart des hommes qui avaient été arrêtés possédaient un téléphone portable. J'écoutais leurs voix ; leurs langues se confondaient en un brouhaha cosmopolite aux sonorités rugueuses, je les observais, le téléphone fixé à l'oreille, guettant des informations extérieures puisque leur sort en dépendait. Yuri Statkevitch s'est isolé pour téléphoner. Il parlait très bas comme s'il craignait d'être entendu, passait sa main dans ses cheveux, l'air grave. Il était beau et émouvant. Quand il est revenu vers moi, il m'a proposé de me prêter son téléphone. J'ai fait opposition à ma carte bancaire. J'ai renoncé à prévenir quelqu'un. Mes parents se trouvaient à Londres, chez ma sœur. La veille, ils m'avaient téléphoné pour me dire qu'ils étaient bien arrivés. Je n'aurais donc pas de leurs nouvelles avant plusieurs jours. Je vivais seule. Personne ne s'inquiéterait de mon absence.

Yuri était penché en avant, son visage tourné vers moi, nimbé d'une lumière jaunâtre que diffusait un plafonnier branlant : « Tu es française, c'est bien vrai » – ce n'était pas une question. « Pourquoi rester, tu es journaliste, tu mènes une enquête ? – Non, non, je suis écrivain. – Ah ! » C'était tout. Sa discrétion, déjà. Sa réserve. Il m'intriguait. Dès cette première rencontre, j'ai deviné que son caractère ombrageux trahissait sa méfiance, qu'il pensait que chacun de nous pouvait le trahir, à tout moment, en toutes circonstances, le trahir et accélérer sa chute. Il ne s'adressait qu'à moi, nous isolant des autres pour mieux me posséder, me protéger.

Pars !

Je ne voulais pas partir. Je traquais les informations : d'où venaient tous ces clandestins ? Que faisaient-ils ? Ils ne me remarquaient pas, trop préoccupés par eux-mêmes, je les observais à ma guise, les détaillais, les décrivais, les inventais comme si je devinais qu'ils deviendraient avec leur consentement ou contre leur gré les personnages d'un roman que tôt ou tard je *devais* écrire. Cet univers, ces hommes, ces femmes m'attiraient. Je cherchais moins à fuir mon quotidien qu'à détruire le monde paisible mais artificiel que mes parents avaient créé pour moi, dès l'enfance, ce monde de certitudes, d'images figées, de conventions sociales – un lot de consolation. Dans ce commissariat, je perdais mes repères, je ne maîtrisais rien. C'était déstabilisant, inquiétant. Quelque chose s'était brisé en moi lors de l'arrestation ; en se concrétisant, mes craintes avaient libéré d'autres angoisses, et j'en étais là, à les recenser, les classer, tentant désespérément d'ordonner ce qui avait été dispersé, alimentant mes propres névroses, mes peurs d'enfant.

Enfermés dans la petite cellule, Yuri et moi attendions d'être appelés.

— D'où venez-vous ? ai-je demandé.

Il a hésité à répondre, a détourné son regard avant de lâcher sur un ton monocorde qu'il était biélorusse et qu'il venait de Minsk.

— Vous avez de la famille ici ? ai-je continué.

— Ma sœur et quelques amis, des Biélorusses, ils sont arrivés en même temps que moi.

Il a allumé une cigarette.

— Et vous ?

— De Paris. Quand êtes-vous arrivé en France ?

— Il y a deux ans.

— Pourquoi êtes-vous venu ?

— Tu es du KGB ?

J'ai souri. Un homme rompu à l'art de l'interrogatoire. J'ai insisté :

— Vous êtes venu ici pour travailler ?

— Tu connais la Biélorussie ?

— Non.

— Va faire l'écrivain dans mon pays, même pas un roman d'amour tu pourras écrire. Trop subversif.

Vous n'avez pas le droit de me retenir ici ! a soudain hurlé un homme à la peau crayeuse, aux paupières lourdes. Il se tenait debout, les mains agrippées aux grilles.

— Ah bon ! Et pourquoi ? a demandé un gendarme.

— Je suis mineur !

— Tu es mineur ? Je suis sûr que si tu passais un examen d'âge osseux, on diagnostiquerait de l'arthrose.

Trouvez-nous un interprète qui traduise nos angoisses, nous ne savons pas les exprimer. Basculement brutal dans l'illégalité, le doute, l'imposture, et que faisais-je au milieu de ces hommes qui ne parlaient pas tous ma langue, ces femmes vieillies avant l'âge, atteintes dans leur féminité, leur jeunesse ; que faisais-je propulsée dans cet univers dont je ne maîtrisais pas encore les codes ? Cela viendrait, avec le temps, les privations, les tentatives d'intimidation, j'apprendrais à mentir, à inventer, à raconter des histoires, des récits d'exil, j'en connaissais aussi, les départs forcés, les fuites, les contes de mon enfance, la peur pour mémoire, et qui étaient tous ces étrangers, d'où venaient-ils et pourquoi mentaient-ils, tous, sans distinction de race ni d'origine, ils mentaient pour survivre, pour rester, par esprit de lutte, instinct de conservation, par jeu, ils mentaient parce qu'ils étaient fragiles. Qui croire ? Il y avait cet Africain qui prétendait être hollandais, cet Albanais qui disait être polonais, cette Haïtienne qui criait qu'elle était malade, et cet autre encore en danger de mort *là-bas, je vais crever si vous me renvoyez dans mon pays* et allez démêler le vrai du faux, *je suis avocat, peintre à l'Elysée, père de quatre enfants, ma femme est enceinte, j'ai-l'sida-aidez-moi, j'paye des impôts, ma compagne est française*, essayez de distinguer la vérité condamnatoire du mensonge rédempteur. J'apprenais leurs lois : ne pas donner sa véritable identité, mâcher puis avaler les documents qui pourraient révéler ce que vous cachez et attendre que des Français, des hommes libres, vous interrogent pour savoir qui vous êtes, d'où vous venez ; et *toi*, m'a demandé un policier brun à travers la porte grillagée, *d'où tu viens ?* – la grande question des origines –, mais je n'ai pas eu le temps de répondre, quelqu'un a déjà répliqué à ma place : « Tu vois bien, c'est une Roumaine », c'était la première fois que quelqu'un me prenait pour une ashkénaze. Coup d'œil furtif sur les femmes d'Europe de l'Est qui m'entouraient, elles étaient brunes comme moi, à la peau claire, aux lèvres charnues, elles paraissaient plus jeunes, une petite vingtaine d'années, et regardez leurs mains, semblables aux miennes, des mains desséchées par le froid, striées de veinules bleues, des doigts fins, aux ongles courts. Oui, une Roumaine, comme elles, une nostalgique de la Mitteleuropa. *Et comment tu t'appelles ?* Ana Vasilescu, j'ai lâché ce nom spontanément, c'était celui de la jeune femme qui gardait mon grand-père, toutes les nuits ; j'ai usurpé son identité sans penser aux conséquences, sans imaginer que ce nom allait me propulser dans un autre monde. A aucun moment ils n'ont mis en doute mes affirmations. Tout cela n'a duré que quelques secondes, devant la porte de la cellule, puis une dizaine de minutes, dans le bureau des inspecteurs qui voulaient savoir où j'étais née, où j'habitais, si j'avais mon passeport et *vite, il y a du monde qui attend dans l'autre pièce*. J'ai ânonné quelques mots, réponses brèves et imprécises que j'ai prononcées en roulant les « r ». *Est-ce que vous avez déjà fait l'objet d'une interdiction de territoire ?* Oui – c'est ce que j'ai failli dire, oui, par respect dû aux morts, oui, massivement interdits, chassés en groupes hors du territoire français, les miens, mes Français dénaturalisés parce que juifs, et je me suis ravisée à temps. J'ai hoché la tête de gauche à droite.

Nous n'avons plus d'autres questions à vous poser.
Un avocat est arrivé. C'était un petit homme trapu au visage rond, au sourire carnassier. « Maître Z. », a-t-il lâché d'une voix étouffée en me tendant une main moite. Des gouttes de sueur perlaient sur son front. Il a réclamé un traducteur, j'ai fait « non » de la tête. « Si vous ne donnez pas votre véritable identité, le tribunal vous condamnera d'office. » J'ai haussé les épaules. « Dans ce cas, je ne peux rien faire pour elle », a-t-il dit au gardien avant de s'éloigner.

Le retour dans la pièce glacée, aux murs lézardés, humides. Et toujours ces claquements dans ma tête, de plus en plus vifs, comme la pression d'une main contre la peau tendue d'un tambourin. Je me sentais

25

vulnérable. A travers la grille, j'ai aperçu Yuri, profil bas, genoux collés l'un contre l'autre. Il fumait. Dès qu'il m'a vue entrer, il s'est déplacé et m'a fait signe de m'asseoir à son côté. Nous sommes restés là, un peu gênés, cherchant à dissimuler cette attirance qui nous eût paru obscène si elle n'avait été si forte.

Des gendarmes nous ont apporté des sandwichs. J'écoutais Yuri parler ; ses lèvres enfantaient chaque phrase avec difficulté, la langue devenait torture mais il était drôle, avec cet humour très particulier des gens d'Europe de l'Est quand il ne reste plus rien d'autre.

— Je peux peut-être t'aider, ai-je murmuré comme si je cherchais à justifier ma présence à ses côtés.

— Oui, bien sûr, a-t-il répondu avec un certain détachement. Oui, tu vas m'obtenir des papiers, un travail et un grand appartement.

Il a à peine fini sa phrase que deux policiers sont entrés : « Vous êtes convoqués à la préfecture. » Deux heures plus tard, le préfet rendait un arrêté de reconduite à la frontière. Quelle frontière ? ai-je songé – je n'avais jamais su délimiter mon espace intérieur.

En milieu d'après-midi, dans l'atmosphère froide et impersonnelle d'une salle d'audience, le juge des libertés confirmait la décision et ordonnait notre placement dans un centre de rétention administrative.

— Qu'est-ce que c'est, a demandé Yuri, une prison pour apatrides, exilés ? Un camp pour parasites sociaux rempli d'opposants au gouvernement ? Une maison de redressement ?

— On vous y laisse le temps d'organiser votre retour dans vos pays respectifs, a expliqué un des gendarmes.

— Et il se trouve où, en Sibérie ?

— Au cœur de l'aéroport Roissy-Charles-de-Gaulle, a répondu le policier. Ce sera plus rapide pour vous renvoyer chez vous.

3

Je ne savais rien – ou pas grand-chose – des centres de rétention administrative avant d'y arriver. Quelques articles dans la presse. Pendant le trajet, les gendarmes nous ont expliqué que les immigrés en situation irrégulière y étaient retenus – trente-deux jours au maximum en théorie – dans l'attente d'une décision du juge : maintien en France ou reconduite vers le pays d'origine. A la grande loterie migratoire, ils gagnaient une fois sur deux.

Le fourgon de police a emprunté la route qui menait à l'aéroport, aérogare 3, avant de suivre la direction Mesnil-Amelot. Sur une pancarte jaune à peine visible, j'ai distingué ces mots peints en noir : CENTRE DE RÉTENTION ADMINISTRATIVE. La voiture a soudainement bifurqué vers la gauche, pénétrant dans une zone boueuse, presque impraticable. A travers la vitre, je distinguais les pistes d'atterrissage et les grands avions aux ailes blanches. Je sentais le regard de Yuri sur moi, il semblait me scruter en permanence, comme s'il me surveillait ; j'allais vite découvrir que des décennies de régime soviétique avaient modelé son esprit jusqu'à le rendre imperméable à la spontanéité, à la confiance – ces sentiments dont nos démocraties nous avaient gratifiés à la naissance comme autant de cadeaux attachés aux droits civiques. J'étais calme (à l'intérieur, c'était la guérilla, incapable de mater mes troupes, une violence que mes parents avaient domptée, après avoir dompté la leur, et nous étions nos propres dresseurs, bridant nos sentiments, armant nos cœurs).

Nous sommes arrivés dans une zone isolée, caillouteuse. Le fourgon s'est immobilisé devant une grille verte que des gendarmes postés dans un bureau de verre ont immédiatement ouverte. Le centre, situé sur un terrain vague, était composé de plusieurs bâtiments en préfabriqué : un grand établissement gris et rose réservé à la Gendarmerie nationale, un bloc attribué au personnel et six blocs entourés de deux immenses clôtures dont une surmontée de barbelés – le territoire des clandestins. Devant ces clôtures, des guérites avaient été disposées de part et d'autre ; à l'intérieur, des gendarmes faisaient le guet, traquant les comportements suspects. Des caméras de surveillance placées autour et à l'intérieur du centre contrôlaient toutes les allées et venues. Des travaux étaient en cours de réalisation visant à renforcer les dispositifs de sécurité. Plus tard, j'ai appris que le chef du centre venait de faire construire cette nouvelle clôture, plus haute que la précédente, pour empêcher l'évasion des retenus. En descendant du fourgon, j'ai aperçu quelques fines silhouettes derrière les grilles : je me trouvais encore dans un espace neutre et, un instant, en les observant déambuler sans un regard vers nous, indifférents à tout ce qui les entourait, j'ai eu le sentiment d'être le visiteur d'un zoo – impression obscène que je susciterais moi-même quelques dizaines de minutes plus tard, quand, à mon tour, je serais dévisagée, surveillée, animalisée. De l'autre côté, déjà.

Les policiers ont détaché nos menottes et nous ont fait entrer dans le premier bâtiment. Les murs étaient peints en jaune et vert d'eau comme dans les crèches, pour la douceur et l'espoir.

Nous avons commencé par accomplir les formalités administratives. C'est là que j'ai répété que j'étais roumaine mais l'agent a eu l'air sceptique, il m'a demandé si je n'étais pas plutôt iranienne, *non* – j'en étais sûre. Il nous a attribué une carte semblable à une pièce d'identité plastifiée sur laquelle étaient inscrits notre nom, notre numéro de chambre et les numéros de téléphone utiles. Puis ils nous ont pris en photo comme dans les séries américaines, immobiles devant un grand mur bleu, serrant entre nos mains un carton blanc sur lequel était noté notre numéro d'enregistrement. J'ai lissé mes cheveux vers l'arrière, je voulais faire bonne impression en tant qu'immigrée de la deuxième génération. Le jour de l'arrestation, je portais le pull-over bordeaux à col V que j'avais acheté dans une boutique de la Rive droite. Quand je le mettais, mon père me disait que je ressemblais à une femme de ménage portugaise et j'ai pensé que c'était pour cela qu'ils m'avaient embarquée, à cause des signes ostentatoires et du contrôle au faciès.

A côté du mot identité, ils ont écrit : X se disant Ana Vasilescu. L'agent m'a notifié mes droits, j'ai signé divers documents. Puis, les gendarmes mobiles m'ont fait entrer dans leur local, une grande salle bleue. Une lumière pâle, terne, filtrait à travers des fenêtres qui donnaient directement sur le parking du centre. Quatre hommes et une femme siégeaient derrière un bureau métallique. La fille, une métisse de petite taille, m'a fouillée dans un petit box réservé à cet effet, je n'avais rien sur moi ce jour-là, juste un peu d'argent, les clés de chez moi. Ce n'était pas une prison, nous étions libres de circuler à l'intérieur des locaux – c'est ce qu'ils nous répétaient. Alors pourquoi me sentais-je si coupable ? Ils nous ont demandé de déposer nos affaires ; les retenus avaient le droit de conserver leurs téléphones portables à condition qu'ils n'aient pas d'appareil photo incorporé. « Gardez peu de choses sur vous, nous a prévenus un gendarme, sinon, on va vous les voler. » Dans le local à bagages, Yuri a laissé son sac de sport. Il y avait d'énormes valises, des besaces, de simples bourses et ces sacs en plastique à motifs géométriques que les étrangers issus des pays en voie de développement achetaient en quantité. « Vous pouvez être prévenus une heure avant le départ, a expliqué le gendarme, voilà pourquoi vous devez toujours vous tenir prêts à repartir, n'éparpillez pas vos affaires, conservez vos documents dans des pochettes. »

On nous a fait signe de sortir. Yuri a allumé une cigarette. Nous sommes restés un long moment debout, escortés de deux gendarmes, derrière la haute grille verte qui nous séparait de l'espace réservé aux retenus. Des Arabes, aux traits durcis par le froid, nous regardaient, intrigués ; certains, agrippés aux grilles glacées, observaient les ouvriers de type maghrébin qui travaillaient à l'agrandissement du centre, des hommes libres ceux-là, français ou titulaires de cartes de séjour qui creusaient, pelletaient sans relâche, bravant la froidure ; d'autres avaient les yeux rivés au ciel – à quoi pensaient-ils ? –, un peu hagards. Ils ne bougeaient pas, absorbés par le spectacle de ces avions qui décollaient, s'enfonçaient dans le ciel cotonneux, d'un gris perle. Le temps s'écoulait, imposait son rythme lent – traitement inhumain et dégradant : l'attente.

J'avais froid, je tremblais. Ce jour-là, je portais un jean, un simple tee-shirt de coton, un pull-over et un blouson à capuche trop fin pour la saison. Yuri a enlevé sa veste en jean, l'a posée sur mes épaules. Il faisait à peine 2 °C, peut-être moins. Il a commencé à pleuvoir, une pluie drue, abondante.

L'eau fouettait nos visages rougis. Nous restions là, sans bouger, entourés de ces deux gendarmes qui parlaient entre eux comme si nous étions transparents, inexistants, quelque chose s'était produit à notre arrivée au centre, une rupture, un processus d'effacement : nous disparaissions aux yeux du monde.

4

— J'ai deux PV 44 à vous amener, a crié un des gendarmes dans son talkie-walkie, me sortant de ma torpeur, et ce n'est qu'après, quand il a ouvert la porte de la grille et nous a demandé de le suivre, que j'ai compris qu'il parlait de nous.

Nous entrions dans « la zone » et, en foulant la terre sèche, nous franchissions une ligne au-delà de laquelle nous n'aurions plus aucun repère : nous serions isolés du monde. En dépit de la fatigue – nous avions passé plusieurs heures en garde à vue, au commissariat –, je restais sur mes gardes, à l'affût de la moindre information. J'étais un témoin aux motivations contrastées, l'otage de ma propre curiosité et, notant, écrivant tout ce qui déjà me bouleversait, je prenais la mesure de mon ignorance. Peut-être aussi de ma colère et je luttais contre moi-même pour ne pas me trahir.

Nous étions las, nous avions sommeil, mais nous devions d'abord récupérer les affaires que le centre mettait à notre disposition. A l'intérieur de l'espace réservé aux retenus, on nous a guidés jusqu'au bureau de mademoiselle L., la gestionnaire administrative. C'était une femme rousse et énergique, de taille moyenne. Elle portait un pull-over rouge et un pantalon noir dont elle n'avait pas fait l'ourlet. Ses cheveux, négligemment noués en queue-de-cheval, glissaient sur son visage sans fards. Elle nous a expliqué le fonctionnement du centre, rythmé par les interventions des gendarmes :

— 7 h 20, c'est le réveil. 8 heures, le petit déjeuner. Les visites sont autorisées jusqu'à 11 h 30, au parloir. Puis vous pourrez récupérer des affaires personnelles dans vos bagages et retirer l'argent que vous venez de déposer. Midi, rendez-vous au réfectoire pour le repas. L'après-midi, vous avez de nouveau le droit de recevoir des visites et d'accéder à la salle des bagages. Vous dînerez à 18 h 30. Il est interdit de sortir des blocs après 20 heures.

Elle était douce et volubile, son débit fluide me rassurait. Elle nous a remis un drap, une couverture marron, un nécessaire de toilette réduit au strict minimum et une serviette à peine plus grande qu'un visage d'homme. Elle s'adressait à nous comme à des enfants : il fallait que nous nous lavions, que nous restions propres à cause de la promiscuité, certains retenus refusaient de se laver pendant trente jours – et *c'est pas possible de vivre dans ces conditions sans respect des autres.* Yuri a réclamé un rasoir, il ne s'était pas rasé depuis deux jours, avec les fines moustaches qui se dessinaient au-dessus de sa lèvre supérieure, il disait qu'il ressemblait maintenant à Alexandre Loukachenko, le président biélorusse dont il avait fui le régime autocratique. Mademoiselle L. lui a expliqué que le rasage ne se faisait que sous surveillance policière depuis qu'un retenu avait avalé une lame. Au même moment, un homme noir que j'avais croisé dans le local de la gendarmerie a surgi en hurlant : il n'y avait plus de cigarettes, le distributeur avait été pillé pendant la nuit et c'était vraiment l'état d'urgence. La partie inférieure de son visage était criblée de cicatrices épaisses. Mademoiselle L. lui a répondu que les retenus n'avaient qu'à pas tout saccager. *Si on m'donne pas d'cigarettes, j'fous l'feu au centre !* J'entendais la femme lui demander de se calmer et le retenu qui n'arrêtait pas de parler de droits de l'homme et de l'offense faite à son peuple, de remise en liberté *et si c'est ça la démocratie à la française, je préfère retourner chez moi en Hollande où les filles sont chaudes.* Elle ne l'écoutait plus. Se tournant vers Yuri, elle a dit :

— Si vous avez besoin de préservatifs, n'hésitez pas à demander, il y en a ici.

En prononçant ces mots, elle a désigné un petit panier en osier orné d'une petite pancarte sur laquelle il était écrit : SERVEZ-VOUS. *C'est ça, nous venons en France pour la baiser !* a hurlé l'homme en s'éloignant.

Vous avez des questions ?

Yuri a demandé si nous pouvions avoir des journaux.

— C'est interdit, les retenus bouchent les toilettes avec le papier.

Elle a eu un moment d'hésitation puis elle a dit :

— Mais il y a la télé dans tous les blocs.

J'ai voulu savoir s'il y avait une épicerie, un endroit où les retenus se procuraient des produits de première nécessité. Elle a hoché la tête de gauche à droite :

— Ce n'est pas possible, il faut quand même dissuader les gens de revenir en France.

C'était un monde totalement clos mais sans vocation carcérale ; une organisation réglementée, contrôlée jusqu'aux moindres détails, sans but répressif, une société qui affichait ses contradictions : il s'agissait de retenir contre leur gré des individus qui n'avaient commis aucun crime, en préservant leurs droits les plus élémentaires tout en les privant de l'essentiel, en restant inhospitaliers.

Allez-y !

Deux gendarmes nous ont dirigés vers les dortoirs. Nous avons traversé la cour des retenus, un espace sombre, terne : du béton, des monticules de terre, des cabines téléphoniques, un tableau en noir et blanc tacheté de silhouettes voûtées, nerveuses, une extrême tension régnait au-delà du calme apparent. Ils étaient là, nombreux : des Noirs, des Maghrébins, des gens d'Europe de l'Est, des Haïtiens, des Philippins, des Thaïlandais, des Chinois – la Tour de Babel. Je n'avais jamais vu autant de nationalités réunies, des hommes et des femmes qui se regroupaient par ethnies, mus par l'instinct grégaire : les Arabes ne se mélangeaient pas aux Noirs, les Roumains ne parlaient pas aux Roms – les Gitans –, qu'ils considéraient comme appartenant à une caste inférieure, les femmes se tenaient à l'écart des hommes ; un ghetto niché dans un no man's land, une ségrégation ouverte, autorisée. A tout moment, ces hommes pouvaient exploser, livrés à eux-mêmes, désœuvrés. Certains erraient, seuls, une cigarette coincée à la commissure des lèvres, comme égarés. Massés derrière de longues lamelles plastifiées, devant une machine à café et un distributeur de cigarettes, quelques hommes en jeans et survêtements élimés fumaient, debout, soumis au vent, aux variations de température, à l'humidité. Ils ne bougeaient pas, comme si cette place leur avait été attribuée d'office. Je les observais discrètement, ils nous jaugeaient.

— Qu'est-ce qu'ils font là à attendre ? a demandé Yuri au gendarme.

— Rien.

Au centre, c'était une activité à temps plein.

Cela ne ressemblait pas à une prison, plutôt à ces motels sans charme construits au bord des autoroutes pour des nomades sans le sou, des amants irréguliers ; une succession d'abris, logements de fortune improvisés. Le centre accueillait 140 personnes dont 16 femmes. Ces étrangers allaient être reconduits chez eux, ils ne resteraient au centre que quelques jours, voire quelques semaines.

De l'intérieur, les clôtures fraîchement repeintes m'ont paru gigantesques et j'ai eu peur quand j'ai aperçu les barbelés argentés qui s'entrelaçaient, nous menaçant de leurs pointes acérées. C'était un choc immense pour moi. Je n'imaginais pas qu'un lieu pareil pût exister. Ce n'était pas l'état des locaux qui suscitait mon effroi, tout semblait plutôt bien tenu contrairement à d'autres centres ; ici, les murs étaient propres, des femmes de ménage passaient tous les jours ; non, ce qui me troublait c'était autre chose, cette impression de vide, d'inactivité, de renoncement – ces hommes attendaient qu'un juge décide de leur sort et ils attendaient *physiquement*. Des heures, des jours, des semaines à ne *rien* faire. Il y avait bien une salle avec un baby-foot, une table de ping-pong, une aire de jeux pour jouer au ballon, mademoiselle L. nous en avait parlé dès notre arrivée comme si c'était une activité récréative organisée dans le cadre d'une colonie de vacances, alors que les idées les plus noires nous gangrenaient déjà de l'intérieur, alors que ces hommes avaient peur, et Yuri a dit sur un ton ironique : *pourquoi ne ferions-nous pas une petite partie de baby-foot pour oublier nos morts et l'expulsion prochaine ?* Le gendarme n'a rien répliqué. Tout en désignant les petites baraques roses et grises qui étaient alignées devant nous, il a dit :

— Les hommes à gauche, les femmes à droite.

Jusque-là, j'avais toujours été au côté de Yuri, et on nous séparait. Jusqu'à quand ? Pour nous emmener où ? J'ai levé les yeux vers les barbelés, j'ai senti une angoisse monter en moi. Yuri a serré mon bras entre ses doigts sans me quitter des yeux.

— Tu es rassurée maintenant, je ne peux pas m'enfuir.

Et soudain j'ai eu peur, non pas de me retrouver au milieu de tous ces étrangers, dans ce lieu clos – la privation de liberté, la promiscuité, la cohabitation, je m'y adapterais puisqu'ils seraient temporaires –, mais peur de ce que je ressentais au contact de cet homme. Ce n'était pas seulement le désir qu'il m'inspirait, bien qu'il fût violent, incontrôlable ; il y avait autre chose au-delà de cette attirance physique, une complicité qui naissait *contre* nous.

— Plus vite ! a crié l'un des gendarmes.

Entendant ces mots, je me suis éloignée en direction des dortoirs.

5

L'arrivée dans le bloc des femmes. La sensation
d'apaisement comme si je pénétrais en terrain fami-
lier. Un petit transistor posé à même le sol, dans le
couloir qui menait aux chambres, diffusait de la
musique arabe. Quand elles nous ont vus, les
retenues ont poussé le volume à fond et le gendarme
a murmuré, se parlant à lui-même : « C'est ça la
France de demain. »

On m'avait attribué une place dans la chambre 2.
C'était une pièce d'environ sept mètres carrés qui
comprenait un lit superposé, une petite table et un
casier en fer gris fermé par un gros cadenas doré.
A côté de la porte, un matelas avait été jeté à même
le sol. J'y ai posé mes affaires ; les lits superposés
étaient déjà occupés par deux Tchétchènes qui
étaient arrivées la veille, deux jumelles massives
âgées d'une vingtaine d'années. Elles parlaient mal
le français, s'isolaient du groupe. Il faisait un froid
sibérien, le chauffage ne fonctionnait pas. Soudain,
le chef de la gendarmerie mobile, le capitaine S.,

est entré : un homme d'une quarantaine d'années, brun, au visage oblong. Il ne portait qu'une simple chemisette en coton bleu alors que les filles étaient engoncées dans des pulls à col roulé et d'épais blousons. Dès qu'elles ont entendu sa voix, trois Africaines sont sorties de leur chambre, elles se sont plaintes du froid, l'Afrique c'était trop loin dans leur souvenir, *On va tomber malades, on va crever,* et il a répondu que le chauffagiste passerait, qu'elles allaient s'habituer : *Cent quatre nationalités sous le même toit, ça tient chaud.*

Les femmes allaient et venaient, intrigantes. J'observais ces Africaines qui portaient des perruques blondes, entremêlaient des tresses rousses avec leurs cheveux noirs, ces Chinoises aux cheveux permanentés, ces Russes arborant des tee-shirts à l'effigie de grandes marques américaines. L'influence de l'Occident. Au milieu d'elles, dépossédée de ma langue, de mon identité, je me sentais en terre étrangère alors que je me trouvais en France, à quelques dizaines de kilomètres de chez moi.

Il était déjà tard quand nous sommes arrivés, un peu plus de 18 heures. Par haut-parleur, les gendarmes nous ont annoncé que nous devions nous rendre au réfectoire pour le dîner. J'ai suivi les Africaines qui partageaient mon bloc mais, à mon approche, elles se sont mises à parler dans leur langue. Dans le grand réfectoire aux murs jaunes, les hommes et les femmes partageaient les repas. J'ai cherché Yuri du regard. Dès qu'il m'a vue, il m'a fait signe de le rejoindre, il était désormais mon seul repère dans cette marée humaine. Des dizaines d'hommes et de femmes de toutes nationalités, qui parlaient des langues différentes, n'avaient pas la même religion, ne partageaient pas les mêmes coutumes : des gens simples pour la plupart, sans culture, sans attaches familiales, sociales. Certains avaient commis des délits, avaient été incarcérés. Retenus, détenus, la frontière était mince, ils la franchissaient : arrêtés pour un délit grave, ils étaient placés en prison ; une fois dehors, ils pouvaient être contrôlés, envoyés dans un centre de rétention. Le juge prononçait souvent leur expulsion du territoire ; au moment du départ, ils refusaient d'embarquer en se débattant et étaient renvoyés en prison. Détention, rétention, détention, cycle infernal d'une violence ordinaire.

Les gendarmes ont fait l'appel. Lorsqu'ils ont énoncé mon nouveau nom, je n'ai pas réagi tout de suite. C'est Yuri qui m'a serré légèrement la main. Les retenus parlaient fort, je ne distinguais plus leurs langues, leurs propos. Yuri m'a conseillé de ne pas m'exprimer en français pour ne pas éveiller les soupçons. Soudain, un homme d'origine maghrébine a hurlé : *Je mangerai pas avec des Noirs.* Plusieurs hommes l'ont encerclé, Yuri et moi n'avons pas bougé. Il répétait : *Je mangerai pas avec des Noirs.* Puis le chef de la gendarmerie est entré, les a séparés. Des femmes noires vêtues de blouses roses nous ont servi le repas qui se présentait sous la forme de petites barquettes en plastique recouvertes d'une fine pellicule de Cellophane. C'était infect : la macédoine de légumes avait un goût âcre ; le rôti était gras, les haricots trop cuits et le yaourt, gélatineux, blanchâtre, ressemblait à de la glaire. Plusieurs hommes se sont levés en criant qu'ils ne toucheraient pas au rôti de porc et que « c'était pas une façon de traiter des musulmans » : *On va mettre le feu au centre et tout va péter, Inch'Allah !* Mademoiselle L. leur a assuré que la viande de porc était interdite dans le centre, qu'elle y veillait personnellement. Elle leur a raconté que, pendant le Ramadan, elle s'était levée à 4 heures du matin pour servir les retenus. Ils ont écouté ses arguments d'un air distrait avant de conclure, lapidaires, qu'ils ne mangeraient pas. Le responsable du centre, le capitaine M. est intervenu, il a ordonné qu'on leur serve des légumes et du pain. « On n'est pas des ruminants, chez nous, les trucs verts c'est pour les vaches ! », a dit un Africain. Un groupe d'Asiatiques composé d'hommes et de femmes sans âge restait à l'écart, indifférent à la rixe. Isolé à l'extrémité du réfectoire, un Albanais longiligne, aux yeux excavés, s'est plaint – la femme de service refusait de lui servir une ration supplémentaire de ketchup. *A la sortie, j'te prends j'te bute.* La femme de service restait calme, indifférente à ses vociférations. L'atmosphère était électrique, la tension, palpable. Les rumeurs remontaient jusqu'à nous : quelques semaines auparavant, un retenu avait tenté d'étrangler une femme de service qui ne lui avait pas donné la mayonnaise qu'il réclamait. Il l'avait attendue à la sortie du réfectoire, l'avait saisie par-derrière, avant de la traîner jusqu'au terrain de foot. La femme avait été retrouvée par terre, suffocante, le visage bleu, presque inconsciente.

J'veux qu'on m'serve !

Puis les voix se sont tues, étouffées par les cliquetis des couverts. J'ai porté les aliments à ma bouche avec effort ; les autres retenus mangeaient avec avidité, reprenaient du pain. « Tu n'en veux pas ? » a demandé Yuri et, sans attendre ma réponse, il a versé le contenu de mon assiette dans la sienne.

Tout était contrôlé, minuté, surveillé. Après le dîner, les gendarmes nous ont ordonné de retourner dans nos chambres. Yuri a formulé diverses recommandations : ne pas parler aux hommes, être prudente, rester discrète, et je l'écoutais avec une certaine docilité comme si, ayant perdu tout repère, j'avais du même coup perdu toute maîtrise et, en équilibre fragile entre l'observation et la participation, le retrait et l'intervention, je cherchais à avoir les réflexes d'un témoin anonyme pour écrire – écrire et transmettre – mais je ne pouvais réprimer les doutes, les interrogations d'une captive.

« A demain ! » s'est écrié Yuri en s'éloignant, et aussitôt, j'ai suivi les femmes qui marchaient d'un pas vif jusqu'à notre baraquement. Certaines d'entre elles se sont affalées sur les canapés en tissu aux couleurs claires, devant le téléviseur. Les autres sont rentrées dans leurs chambres pour téléphoner. Je suis allée me coucher, me suis allongée par terre, sur mon matelas trop mou, tout habillée – on ne nous remettait pas de pyjama. Il fallait supporter la promiscuité, l'absence totale d'intimité – et paraître détachée. Dans ma chambre, j'entendais les autres retenues parler au téléphone, bouger, se lever. Chacune tentait d'appeler un membre de sa famille, un ami, une connaissance. Les clandestins n'avaient qu'une préoccupation en tête : quitter le centre ; moi, je cherchais le moyen d'y rester. Je voulais voir comment vivaient ces femmes. Je tentais de leur parler, essayant vainement de créer une connivence que nos différences n'autorisaient pas. Elles ne se laissaient pas approcher, ne se confiaient pas : l'instinct de survie anéantissait tout le reste, elles se retranchaient moins par méfiance que par souci de se préserver. Les épreuves les avaient physiquement marquées. Au centre, les femmes paraissaient plus âgées qu'à l'extérieur. Un responsable associatif s'était plaint de la présence d'une « vieille femme » dans notre bloc ; après vérification, il fut prouvé que cette ombre au visage parcheminé venait d'avoir quarante ans.

En dépit de la fatigue, je n'arrivais pas à m'endormir. Les yeux rivés sur le mur lézardé, j'observais un cafard ramper le long du mur tel un petit soldat. J'ai brandi mon index comme si j'allais l'écraser, je

l'ai interpellé en lui donnant une petite tape : *Hé !
Où vas-tu ? Qu'est-ce que tu fais ? Tu as un visa ?...
Quoi ? Pas de visa ? ! Tu ne peux pas voyager sans
passeport. Impossible !* – une réplique de Billy Wilder. Le cafard paniqué a accéléré son rythme, s'est
engouffré dans l'interstice du mur pour se cacher.
Encore un clandestin.

6

7 heures du matin, le réveil brutal. La voix toni-
truante d'un gendarme dans le haut-parleur :
Levez-vous ! J'avais l'impression d'être dans un camp
de travail sans travail, une prison sans murs appa-
rents (mais il suffisait de s'avancer un peu pour les
voir, ces murs-barbelés qui nous séparaient du
monde libre). Je me suis levée. Mes membres étaient
encore tout engourdis, nous avions grelotté toute la
nuit sous la couverture trop fine. A deux reprises,
j'avais été réveillée par des gémissements, des cris
étouffés. Je suis allée dans la salle de bains commune,
la porte était défoncée, le sol était sale. J'ai rincé mon
visage, je remarquai qu'aucune des filles autour de
moi n'était maquillée, elles étaient à peine peignées.
J'ai eu un choc en croisant l'une d'entre elles, devant
le lavabo : une Africaine, grande et voluptueuse, le
corps moulé dans un minuscule short à paillettes qui
érotisait ses longues jambes noires. Juchée sur des
talons aiguilles de dix centimètres, elle balançait son
bassin, ses cheveux bruns et drus avec la grâce d'une
danseuse. C'était une strip-teaseuse, elle avait été

interpellée dans une boîte de nuit, la veille, et emmenée directement au commissariat. Personne ne lui avait encore remis de vêtements chauds.

— Ici, c'est la merde, a-t-elle dit en remettant en place ses faux cils.

Des cheveux bloquaient l'évacuation de l'eau, des traînées jaunâtres tachaient l'émail du lavabo. Tout me semblait sale, mal entretenu. Mademoiselle L. a surgi, des sacs en plastique à la main. J'ai dit :

— Dans quelles conditions ils nous font vivre !

— De quoi vous vous plaignez ? Vous n'avez jamais été envoyée au dépôt, dans les sous-sols du Palais de Justice ou à Vincennes, à côté de ces centres, celui-là est un palace, croyez-moi !

Puis elle est ressortie, un sourire figé sur les lèvres.

L'Africaine tressait ses cheveux. Je la contemplais sans oser lui parler.

— Comment tu t'appelles ?

Elle a posé sa question en gardant ses yeux fixés sur l'immense miroir.

— Ana.

— D'où tu viens ?

— De Roumanie.

— Et tu fais quoi ?

— Je suis serveuse, dans un bar.

Elle voulait en savoir plus. Je m'inventais une enfance morne dans les ruelles étroites de Sighet, mais, dans ma bouche, cela ressemblait plutôt à la rue Krochmalna telle qu'elle apparaissait dans les récits de Bashevis Singer. Elle m'écoutait, absorbait

52

mes mensonges. Elle a dit : « Tu parles bien le français, presque sans accent. » J'ai répliqué que ma mère était professeur de français à Bucarest. Puis je lui ai raconté que j'avais un fils de dix ans. Que j'avais fui mon pays pour raisons économiques. Que j'aimais l'Afrique, les vêtements d'homme et le cinéma polonais. Que je rêvais d'être pianiste, danseuse ou metteur en scène. Elle a souri, dévoilant de grandes dents blanches. Pendant des années, j'ai pensé que j'étais réductible à mon identité sociale, ethnique. Dans le centre, je découvrais que je pouvais être roumaine mais aussi ukrainienne, albanaise, algérienne, artiste, mère au foyer, diseuse de bonne aventure, chercheuse, voleuse, agent secret, femme de chambre, orthodoxe ou musulmane, mythomane, dissidente politique, pute ou poétesse, je revêtais des centaines de masques, en affublais les autres, le centre devenait le lieu du Roman, celui où convergeaient tous les imaginaires possibles, où étaient autorisées toutes les affabulations, et nous détournions le réel, travestissions la vérité au nom du principe de survie.

— Et toi, d'où viens-tu ?

— Je vis en France depuis dix ans, je suis française, non ?

Deux gendarmes sont entrés pour faire l'appel. Je suis restée un peu à l'écart, comme extérieure à la scène. J'ai retrouvé Yuri dans le réfectoire. Des ombres cerclaient ses yeux noirs. Il m'a prise par l'épaule et m'a demandé si je pouvais l'accompagner à la Cimade, un organisme qui offrait une assistance juridique et sociale aux retenus – que cherchait-il à obtenir de moi : un réconfort moral, une aide matérielle ? Je me rassurais en me répétant que, de nous deux, j'étais sans doute la plus manipulatrice. Quand nous sommes sortis, deux hommes aux corps musculeux m'ont regardée avec insistance et j'ai baissé les yeux comme si je me trouvais sous la menace d'une arme.

Nous avons d'abord attendu dans la cour, puis sur un banc, dans une petite pièce non chauffée. Là, j'oubliai totalement qui j'étais, d'où je venais, c'était une impression qui m'était familière, cette sensation de liberté que seul éprouve le touriste isolé – un être sans attaches, noyé dans une foule bigarrée, son passeport pour seul sésame. « Pendant l'entretien, ne dis rien, m'a recommandé Yuri, je parlerai à ta place. » Il m'a serrée contre lui, je me suis laissé faire. « Viens », a-t-il lâché d'une voix ferme, presque cassante. J'aimais son odeur, ses cheveux souples et son apparente froideur comme s'il était fermé au monde ; le refus, voilà ce qui le caractérisait le mieux, cette dureté qui émanait de son regard et que rien n'atténuait, l'intonation de sa voix aussi qui résonnait comme un ordre, sans qu'il le décidât, à son insu ; et je devinais ce qu'il y avait de dictatorial dans sa façon de se comporter, cela m'attirait ; peut-être que j'avais été trop aimée par les miens, tout avait été acquis trop facilement, trop vite, alors qu'avec lui, je savais instinctivement qu'il me faudrait ruser car il pouvait être farouche et, dans ces moments-là, quand il se renfermait davantage à la manière d'un homme qui se retire du monde, je devinais ses errances et ses doutes, ses peurs et les réflexes que des décennies de totalitarisme avaient inscrits dans son esprit. J'avais conscience que cet état serait de courte durée, que la complicité qui nous liait serait tôt ou tard anéantie par le temps, l'habitude, les divergences d'opinions, je savais que c'était, comme une ironie du sort, cette politique d'éloignement dont nous étions l'objet qui nous rendait si proches, si intimes. Une fois dehors, me persuadais-je, il ne resterait plus rien de cet état de grâce.

7

Un homme brun aux cheveux très longs et noués en queue-de-cheval, entièrement vêtu de noir, nous a fait entrer dans un bureau dépouillé où étaient disposés une table en bois, trois chaises, une imprimante, un téléphone, un fax, un ordinateur – le strict minimum. Accrochée au mur, une affiche avec ces mots : *Accueillir l'étranger comme toi-même.* Il nous a serré la main et nous a fait signe de nous asseoir. Il nous a demandé si nous appartenions à une même famille, si nous étions en couple. « Pas encore », a répondu Yuri en sortant une cigarette de la poche de sa veste.

Yuri a dit que je parlais mal le français et qu'il s'exprimerait à ma place, il a expliqué brièvement que j'étais arrivée de Bucarest six mois auparavant. L'homme a tapé les lettres de mon nom sur un ordinateur et a répondu que j'allais être convoquée devant le juge, le lendemain au plus tard, et qu'il prononcerait sans doute le maintien en rétention jusqu'à la date de reconduite à la frontière. J'ai fait semblant d'être surprise. Puis, il a pris la carte plastifiée de Yuri :

— Et vous, d'où venez-vous ?

A ce moment-là, j'ai vraiment pris conscience que je ne savais presque rien de lui. Je lui avais posé quelques questions, sur sa famille, notamment, mais soit qu'il les eût jugées trop personnelles, soit qu'il se méfiât, il n'avait pas répondu. Ses aveux conditionnant sa survie, il se soumettait pourtant au questionnaire de l'homme qui se tenait devant nous.

— Je viens de Minsk. Est-ce que je peux ?

Il a montré sa cigarette, l'homme lui a fait un signe de la tête, lui a tendu un briquet. J'observais Yuri. Il paraissait totalement maître de lui-même, presque détaché.

— Je veux demander l'asile politique en France.

— Quand êtes-vous arrivé ?

— En juin 2003.

— Comment ?

— Je suis entré illégalement en passant par la Pologne puis par l'Allemagne.

L'homme a ouvert un sachet de tabac, a commencé à rouler une cigarette.

— Dans quelles conditions ?

— Pour aller en Pologne, je me suis caché dans un camion, les chauffeurs avaient fabriqué un double fond. Avec moi, il y avait deux couples. Pendant le voyage, on ne s'arrêtait que pour aller aux toilettes et on est arrivés cinq ou six jours après, je ne sais plus. A la frontière polonaise, nous avons contacté des passeurs, j'ai payé mille dollars et je suis passé en Pologne, puis en Allemagne et enfin en France.

— C'est vous qui aviez demandé à venir en France ? a demandé l'homme en allumant sa cigarette.

— Non. Un matin, le chauffeur nous a dit qu'on était arrivés à Poitiers.

Yuri semblait crispé, le visage fermé comme un poing. Il parlait mais ses yeux ne trahissaient aucune émotion.

— Pourquoi avez-vous quitté la Biélorussie ?

— Pour raisons politiques. On dit que c'est la dernière dictature d'Europe, vous savez ça, non ?

— Vous avez reçu des menaces ?

— Oui, j'ai diffusé sur Internet un dessin animé qui ridiculisait le président Loukachenko. Comme vos Guignols de l'info, mais là-bas, c'est pas possible de rire du pouvoir. Dans une démocratie, tu peux te moquer des vivants, pas des morts. Sous une dictature, c'est l'inverse. La police secrète a fait une perquisition chez moi, chez mes amis qui avaient fait le dessin animé avec moi et aussi chez ma sœur. On nous a pris le matériel. Mes proches ont eu des problèmes. La police dit que nous sommes hostiles au président. Je suis le fils d'un syndicaliste opposé à Loukachenko, mon père a disparu il y a huit ans. J'avais peur pour la famille. Là-bas, tout est contrôlé par le pouvoir. Si tu n'es pas conforme, ils te surveillent en permanence. Vous savez, c'est le seul pays de l'ex-URSS à avoir conservé une police secrète qui porte le nom de

KGB, et elle travaille avec la police russe, le FSB. On n'est pas libres ; toujours ils nous surveillent. Le président a fait de l'endoctrinement, ils appellent ça campagne idéologique. C'est comme les méthodes soviétiques, l'encadrement des consciences, on contrôle ce que tu fais, ce que tu dis.

— Pourquoi ne pas avoir demandé l'asile politique dès votre arrivée ?

— J'ai été très malade pendant le voyage, j'ai traversé une rivière à la nage, on pouvait pas s'arrêter, j'ai failli mourir, et après j'ai eu peur d'être renvoyé chez moi, j'ai préféré ne rien faire, rester en France comme clandestin. La situation est très difficile là-bas. L'État emploie la plupart des citoyens. Tout est géré par l'administration présidentielle. Si tu n'es pas d'accord avec le président, tu perds ton travail. Si tu manifestes contre le régime, tu peux être enfermé ou pire. Il n'y a pas de liberté d'expression, pas de stations de radios privées.

Il se confiait à un inconnu, résumait une vie entière en quelques mots, il fallait être rapide, concis, d'autres retenus attendaient peut-être dans la pièce d'à côté, espéraient une solution urgente, une reconnaissance, une aide, et il parlait vite, pressé par le temps, par la peur et les menaces qui pesaient sur lui.

— Vous avez reçu des documents ce matin, par fax, a dit l'homme en lui tendant plusieurs feuilles noircies.

— C'est un ami qui les a envoyés pour moi.

— Ce sera très utile pour votre avocat.

Puis il a sorti un formulaire de l'un de ses tiroirs.

— Vous avez cinq jours pour remplir ce formulaire, en français. Je vais voir ce que l'on peut faire pour vous.

— En français ? a répété Yuri, étonné.

— Mais vous le parlez très bien.

— Oui, j'ai suivi des cours pendant des mois mais je fais des fautes.

— Je sais, c'est difficile, certains ne le parlent même pas et renoncent à demander l'asile politique. Essayez de trouver quelqu'un pour vous aider.

8

« Ecris, m'a dit Yuri, écris que je suis le fils de Joseph et Irina Statkevitch, que mon père était un syndicaliste, que je risque ma vie si je suis renvoyé dans mon pays. Ecris que je ne peux pas retourner là-bas. » Il m'expliquait qu'il vivait « convenablement » depuis un an, qu'il transportait des ouvriers moldaves en situation irrégulière vers des chantiers privés. Il a posé devant lui les documents qui lui avaient été faxés par ses proches, en a conservé d'autres dans une pochette. Il essayait de me prouver son utilité, un bon immigré doit être une valeur ajoutée, une main-d'œuvre efficace. A mesure qu'il brandissait les papiers justifiant sa présence en France, il répétait : « Je travaille, je suis bien intégré, je ne dérange personne. » C'était donc cela un parfait étranger, un homme qui ne gênait pas, ne causait pas de tort, pas de préjudice, un homme pacifié par le traitement préférentiel que la France lui octroyait, un homme discret, reconnaissant, sans histoire – une ombre silencieuse, un souffle qui ne ferait pas vaciller notre démocratie, tomber nos

il y avait de la fierté dans sa voix lorsqu'il
répétait cette phrase, mais reconnaît-on la haine, la
rancœur et le ressentiment quand ils se présentent
à nous parés de leurs corsets sociaux ? Et il y avait
de la honte aussi – elle m'était familière, la honte
d'être différente, de faire partie d'une minorité,
d'avoir à justifier l'origine de mon nom.

J'écrivais. Tandis que Yuri me parlait, que je
prenais des notes sous sa dictée, tout me remontait,
les eaux impures, les fragments d'histoire et les mots
psalmodiés. Tout ce que j'avais occulté, nié, dissi-
mulé – et j'avais des talents d'usurpatrice, il en fallait pour se mentir à soi-même avec tant d'audace –,
tous ces souvenirs d'enfance, ces bribes de mon
passé resurgissaient sans que rien – ni cette réserve
que j'opposais comme un écran, ni mes tentatives
désespérées pour paraître forte, détachée – pût les
retenir. Comme Yuri Statkevitch, immigré biélorusse sans papiers, mes parents considéraient que
nous ne devions pas déranger *les Français*. Nous
étions ce petit personnel condamné à rester devant
la porte de la chambre, attendant d'être autorisé
à entrer. Ne pas déranger, ne pas faire de bruit,
ne pas répondre à l'invective, ne pas susciter de
conflits, ne pas se faire remarquer, ne pas se donner
en spectacle, ne pas hausser le ton, un devoir de
réserve et de discrétion qu'ils s'imposaient – ironie
du sort, eux qui avaient été habitués à rire bruyamment et à parler fort, livraient une lutte pitoyable
contre eux-mêmes, leurs exhibitions, leurs excès,

64

une lutte vaine, la nature reprenait ses droits, ils s'emportaient, criaient et, oh ! *tout le monde* nous regarde, nous ne sommes pas présentables, nous n'avons pas de manières, nous ne savons pas nous tenir. « Chut ! » murmurait ma mère lorsque je parlais trop fort, comme si nous pouvions nous cacher dans nos silences et étouffer cette identité que nos corps, nos paroles et nos expressions trahissaient. Une identité que mes parents ne souhaitaient pas revendiquer. « Chut ! » Il ne faut pas déranger, nous sommes des *étrangers*. Que craignaient mes parents ? Quelles peurs se terraient dans ces chuchotements et comment, pourquoi, les avaient-ils greffées en moi comme un organe dont j'espérais le rejet ? J'avais été une enfant craintive, une adolescente solitaire : le fruit d'une éducation plaintive. Tu ne peux pas comprendre la honte des miens toujours inférieurs aux « vrais Français ». J'avais grandi dans une atmosphère d'inquiétude et d'autodénigrement.

A chaque humiliation, à chaque rejet, ma mère concluait : les Français-ne-nous-aiment-pas – sentence définitive et cruelle qui résonnait comme un aveu d'échec, une reconnaissance implicite de notre infériorité, une exclusion et que Yuri reprenait à son compte sous la forme d'un questionnement : *Ana, pourquoi les Français ne nous aiment pas ?* Est-ce que je pouvais répondre : les lois sur l'immigration, l'Europe forteresse, l'Étranger est l'ennemi, celui qui pille, profite, détourne. Eloignons-le. Est-ce que je pouvais lui avouer ? Même les anciens immigrés parlent ce langage. Les anciens, les *bons* immigrés, les travailleurs, les représentants de l'intégration, ceux qui sont arrivés *légalement*, qui se sont battus pour s'en sortir, qui aiment la France et regarde-les : des gens honnêtes, aux mains propres – c'est ce qu'ils disent ! –, quelle éducation, et leurs fils, leurs filles, des enfants de la République, les études brillantes qu'ils ont faites grâce à eux, aux sacrifices auxquels ils ont bien voulu consentir – et nous sommes fiers de ce que nous sommes devenus, rappelle-toi d'où nous venons, nous sommes fiers de nos enfants, ils ont quitté la banlieue pour Paris, ils sont avocats, médecins, chefs d'entreprise –, des modèles de réussite sociale. Est-ce que je pouvais lui dire : Ce qu'ils pensent de « Vous » – Vous, les autres, les mauvais, les profiteurs, les fourbes qui venez en France clandestinement, souvent ; par intérêt, toujours, réclamer des allocations familiales, la couverture sociale, des parasites bien déterminés à jouir des avantages que l'État français ne devrait accorder qu'à ses résidents, ceux-là, ils viennent manger le pain des Français, ils nous causent du tort, ils nous font honte, ils sont polygames, fainéants, incultes : Quel rapport avons-nous avec ces gens-là ? Il y en a trop, ils viennent de partout, ils abhorrent la démocratie, ils sont dangereux, fous, obscurantistes, nos frontières sont des passoires. Qu'ils restent chez eux, leurs dirigeants sont des traîtres, des dictateurs, des voleurs, la faute à qui ? Yuri me demande d'écrire : *Je suis persécuté, en danger dans mon pays, je suis venu parce que j'y ai été obligé, et comprends-moi, on m'y a contraint*, et s'il avait pu, si on lui avait donné le choix, s'il n'avait pas connu le communisme, la dictature, la censure, l'enfermement – et la peur –, s'il n'avait pas perdu son frère, sa mère et deux de ses amis, s'il avait eu un travail, de l'argent et une perspective d'avenir, s'il avait eu un logement décent, s'il avait été respecté en tant qu'homme – et que savons-nous de la misère, nous les enfants de la démocratie et du capitalisme, de la société consumériste et des avantages sociaux ? –, s'il avait pu continuer à travailler, à exprimer librement ses opinions politiques, s'il avait pu choisir alors oui, il aurait continué à parler sa langue, il serait resté dans son pays, dans la maison de son enfance, auprès des siens, aimé – un homme. Qu'est-ce qu'il espérait trouver en France ? La sécurité. « J'ai peur d'être emprisonné, j'ai peur d'être *emmené*. Pourquoi les Français ne m'aident pas, pourquoi ne nous aiment-ils pas ? »

Pourquoi cherchons-nous à être aimés quand il suffirait qu'on nous tolère ?

Je pensais à mes parents, à leur obstination à se faire accepter, à leur détermination et cette posture de soumission, mots contrôlés, censurés, gentillesse excessive, comme s'il suffisait d'être aimables pour être aimés, cette inversion des rapports sociaux, nous sommes les faibles, des moins-bien-que-les-autres – c'est ce qu'ils se répétaient à eux-mêmes, une attitude d'immigrés, encore. Je les imagine – puisque je n'étais pas née à l'époque, je n'ai pas connu le temps des vaches maigres, je suis celle par qui la réussite sociale est arrivée, « tu portes chance », scandaient mes parents comme si j'étais la clé magique de toutes ces portes qui leur étaient restées fermées des années durant –, je ne peux que me les représenter tels qu'ils se racontaient, à mots voilés, frêles silhouettes, debout sur le perron de ce petit appartement de Bobigny où ils s'entassaient à six, serrant entre leurs doigts un bouquet de fleurs, une bouteille de vin, si apprêtés, un dernier regard dans la glace avant de partir, très à l'avance, pantins grimés pour l'occasion, et si ridicules, ils n'arrive- raient pas en retard, ils attendraient, s'il le fallait, dans la voiture, sans chauffage, ils avaient tout leur temps, nourris à la source de l'acceptation sociale, une source empoisonnée, ils le découvriraient plus tard après le dîner peut-être, quand ils quitteraient la table avec la certitude de ne pas avoir été *à la hauteur*. La fierté, dans leurs regards éteints, puisqu'*ils* les avaient invités. Et ces mots, « Respect, Honneur », qui les rassuraient, les élevaient, eux et leur condition, eux et leurs enfants – oh, pas bien haut ! –, ils ne devinaient pas la part de naïveté qui se terrait dans ces phrases, ils croyaient qu'ils étaient acceptés – enfin, aimés, après tous ces efforts.

Moi, je le savais, je l'ai compris très tôt, je le sentais instinctivement sans avoir été évincée d'aucun groupe, sans avoir été méprisée : jamais personne ne nous aimerait autant que nous le souhaitions. Nous voulions tout : être acceptés des autres sans pour autant nous mêler à eux, être intégrés sans renoncer à nos coutumes, sans oublier nos racines cosmopolites, devenir de parfaits Français, des fruits de l'école républicaine, des citoyens responsables, tout en sachant que nous n'en serions jamais, et quel dilemme ! Nous nous sentions différents, nous nous déplacions en meutes, bêtes sauvages et blessées, nous avions été mordus, nous nous méfiions, nous avions peur mais les caresses nous manquaient et nous nous approchions, farouches, sans nous livrer complètement, nous nous faufilions dans l'espoir qu'on nous acceptât enfin, qu'on nous aimât, et nous étions ces chiens geignards, collants, susceptibles – voilà ce que nos peurs avaient fait de nous, et je les comprenais, ces exilés soumis, honteux, je les aimais, je me reconnaissais en eux, ils étaient mes frères d'ombre, mes pères de misère, je les admirais, timorés et loqueteux, j'aimais leur fierté excessive, leur réserve, les larmes qu'ils ravalaient et l'amour qu'ils portaient à la liberté, cet amour qui les poussait à la fuite, à l'abandon, qui les menait à la mort, à la maladie, à la solitude, et ils étaient nos derniers héros ces hommes qui quittaient tout pour être libres, leur pays, leur famille et les femmes qu'ils aimaient, car qui étions-nous pour les juger, nous qui avions été bercés par ces mots : Liberté, Egalité, Fraternité, qui étions-nous pour leur refuser l'accès à cette terre, la nôtre ? Quelle sorte de monstres à visage

69

humain étions-nous devenus pour les chasser par la force, par le jeu inique des lois, par la tentation corruptrice de nos peurs, eux que nous abandonnions à la déshérence comme des terres infécondes, et qu'avaient-ils à nous prendre que nous ne pouvions leur offrir ? La liberté, nous l'avions dévoyée.

9

Longtemps, je n'ai pas pu avouer que mes parents étaient des immigrés. Qu'ils étaient juifs. Je me fermais lorsque mon interlocuteur pénétrait les territoires dont j'avais condamné l'accès, ces zones opaques qui menaient jusqu'à mes origines. Je me fermais lorsqu'il me demandait, dans un sursaut de curiosité – j'étais encore une enfant – : « Tu es israélite ? » et je rougissais, être juif, c'est avoir chaud tout le temps. Oui, je murmurais comme si j'avouais un secret pénible, non, je hurlais intérieurement, je ne suis pas israélite, je suis juive mais ce mot était imprononçable. Des Français parmi les Français, des fils et filles de la République, voilà ce que nous désirions être. Nos différences, nous les voyions alors comme des obstacles à notre superbe intégration, nous les gommions jusqu'à les rendre invisibles. Mais le comportement discret de mes parents, à la lisière de la servilité, leurs recommandations, leur attitude timorée affirmaient implicitement que *nous n'en étions pas*. Nous le devinions, au détour d'une phrase, derrière un regard qui nous excluait.

Ils étaient dignes. Ils voulaient s'intégrer, s'assimiler, se fondre dans la société française jusqu'à ce qu'on les oublie.

En exergue de l'un de mes romans, j'avais souhaité noter cette phrase extraite du Journal de Roger Stéphane, datée du 19 septembre 1942 : « *Ma seule certitude, c'est mon amour de la France. Contrairement à ce que je pensais à seize ou dix-sept ans, il me serait impossible de me désolidariser d'elle, même si elle devenait intégralement fasciste.* » Ma famille m'en avait dissuadée, tu devrais ne conserver que la première phrase, me disait-on. Entretemps, les incidents antisémites s'étaient multipliés en France. La République *nous* avait abandonnés. J'avais renoncé. Et pourtant, il me semblait que sous son apparente provocation, eu égard aux événements tragiques dont les Juifs français avaient été victimes, cette affirmation cristallisait toutes les prétentions familiales : aimer la France de toutes nos forces, devenir de parfaits Français (*La loi de ton pays est la tienne*, tu aimeras la France, tu lui resteras fidèle en dépit de – commandements auxquels nous ne dérogions pas). Le choix de mon prénom – Claire –, que je portais mal, comme un vêtement qui n'aurait pas été à ma taille. Pas de second prénom à consonance hébraïque. De leur pays d'origine, mes parents parlaient peu (plus tard, en vieillissant, ils ont commencé à évoquer leurs souvenirs, à s'engluer dans la nostalgie : le passé, tel un maître chanteur réclamait le règlement d'une dette qu'ils croyaient avoir annulée en changeant de nationalité).

Qu'avais-je en commun avec les étrangers qui avaient été arrêtés en même temps que moi, ces hommes et femmes qui avaient tout quitté pour venir en France ? J'étais née à Paris, j'avais fait de hautes études, je n'avais pas de problèmes matériels, la honte, la haine, le sentiment d'humiliation, je les avais bridés. Mais, où que je me trouve, je ne me sentais pas à ma place, comme ce trublion pris d'une quinte de toux en plein spectacle, ce perturbateur que les spectateurs dévisagent avec exaspération – Qu'il s'étouffe ! Qu'il en crève ! Mais qu'il sorte ! Il nous *gêne*.

Il me semblait qu'un Juif ne pouvait pas penser en homme confiant. Qu'il pensait avec son histoire, sa mémoire. Avec ses peurs. Les stigmates de l'exode gravés dans la chair, inscrits dans les gênes. Je suis devenue écrivain par réflexe nomade, par fidélité envers la tradition de mon peuple, partir avec les livres pour seules attaches, tous les livres mènent au Livre, mon identité est faite de mots – je n'en ai jamais eu d'autres.

Ecris, a dit Yuri, *je n'ai pas de nouvelles de mon père depuis plus de huit ans, je suis recherché par la police, je ne peux appeler personne, mes amis sont sur écoute, si je rentre, je vais en prison, si je rentre, je meurs.* Yuri avait de vraies raisons d'avoir peur, de vivre en reclus. Ma peur était conjoncturelle, originelle, constitutive de mon identité. Quelle pourrait être notre destinée commune ? Il était étranger, en situation irrégulière, il ne possédait pas de maison, avait un travail non déclaré – quel avenir ? Je ne me suis pas méfiée. Yuri ne m'inspirait aucune crainte – et si seulement j'avais été plus prudente, est-ce que les choses auraient été différentes ? –, je n'imaginais pas qu'un étranger pût me séduire et c'était en cela que ma sollicitude était douteuse ; je l'avais aimé parce que j'avais décelé en lui ma part d'ombre, je n'étais pas pour autant prête à la dévoiler, à l'assumer. Sa condition d'étranger faisait écho à la mienne mais mes parents avaient mis tant d'années à la réfuter, à la masquer parce qu'elle nous faisait honte, nous avions fait tant d'efforts pour nous embourgeoiser, pour paraître convenables aux yeux du monde, que je ne pouvais l'approcher sans crainte, l'aimer sans ressentir un certain malaise comme s'il me tirait vers le bas, me ramenait vers ma propre histoire, réveillait mes angoisses profondes, me révélait à moi-même et je ne voulais pas, je ne voulais pas me rappeler d'où je venais car la haine régnait d'où je venais, la haine et la peur, je préférais occulter mes origines – et que signifient les racines quand aucun sol ne nous tolère ? Avec son pull élimé qui exhalait une odeur de plâtre, son jean d'un gris délavé, taillé dans un tissu sans âge, ses chaussures déformées, Yuri me rappelait que mes parents aussi avaient été des immigrés qui avaient fui pour raisons politiques, acceptant des petits travaux pour survivre, vivant à plusieurs. Ne possédant rien. Alors je ne m'imaginais plus à ses côtés.

Et pourtant, il me subjuguait. Tourmenté, inquiet, hagard : Tu penses qu'ils vont me chasser ? Quel pays d'Europe va vouloir de moi ? Est-ce que je vais errer longtemps comme ça ? demandait Yuri. C'étaient des questions juives.

10

Yuri ne voulait pas rester en France. L'Angle-terre, oui, peut-être, il avait des amis qui pourraient l'aider à reprendre ses anciennes fonctions. Il ne supportait plus les travaux qu'il était contraint d'effectuer pour survivre, la condescendance, le mépris de ses employeurs, des petits commerçants portugais, il avait d'autres ambitions, disait-il – *espèce de con, tu sais même pas poser un carrelage correctement.*

Je ne répondais rien. Je savais. *Et-les-autres-qu'ils-crèvent-sous-la-pression-sociale-On-achève-bien-les-chevaux.*

J'avais rempli sa demande d'asile, nous avons marché dans la cour, ce périmètre quadrillé où poussaient des touffes d'herbe verdâtre et des plantes sauvages que des retenus foulaient en jouant au foot. Assis par terre, dans un coin ombrageux, j'ai aperçu le travesti qui était arrivé au centre une semaine auparavant. C'était un homme de type maghrébin âgé d'une quarantaine d'années. Il portait une longue robe en laine noire, des chaussures à talons et un sautoir en perles. Des cheveux courts et frisés encadraient un visage aux traits durs, marqués par la fatigue, et l'on discernait, derrière l'apparente légèreté de l'homme féminisé, grimé, toutes les crispations de l'exil. Un gendarme nous avait raconté qu'il avait fui l'Algérie où il avait été persécuté et menacé de mort par ses frères. Il se prénommait Samir, se faisait appeler Samira : *Où est-c'qu'on l'met ? Chez les hommes ou chez les femmes ?* Il souhaitait se retrouver parmi les femmes, *Je suis une fille. On n'en veut pas ici* – les femmes avaient peur, elles ne sortaient pas du bloc. Un homme avec elle ? Non. Un étranger au regard fuyant. Placé de force dans le bloc des hommes, il avait été passé à tabac par des retenus. *On n'en veut pas ici non plus. Qu'elle dégage !* On l'avait finalement transféré chez les femmes, le visage couvert d'ecchymoses.

Samir grattait le sol avec un morceau de bois. Il y avait dans ce geste toute la lassitude d'un homme qui aurait perdu la notion du temps. J'ai voulu m'approcher pour lui parler – toujours ce souci de savoir, de comprendre : mes motivations me semblaient aussi opaques que l'univers de ces êtres aux origines incertaines –, mais Yuri m'a barré la route avec son bras d'un mouvement brutal. Il m'a dit *C'est qu'un Arabe.* Au centre, le jeu social, loin d'être aboli, instaurait ses règles impitoyables, engendrait ses propres conflits et ce n'était plus une simple lutte des classes mais une rivalité profonde, un combat pour la survie, une compétition, chacun cherchant à défier l'autre, à l'abaisser à une condition inférieure, à paraître plus convenable, mieux intégré, chacun espérant supplanter l'autre dans la course à l'accession aux titres de séjour. « Tu sais ce que m'a conseillé une assistante sociale à mon arrivée en France ? m'a confié Yuri. Pleurez et vous obtiendrez ce que vous voudrez, mais pleurez plus fort que les autres. »

Nous avons marché jusqu'au distributeur de café. Quatre hommes fumaient, un gobelet à la main. Dès que nous nous sommes approchés, l'un des hommes s'est détaché du groupe. S'adressant à moi, il a demandé : « T'as pas un euro ? » J'ai fouillé dans ma poche. Yuri a répondu que je n'avais rien. L'homme s'est éloigné. « Donne-moi ta pièce. » Yuri me parlait, la main tendue vers moi. Je le regardais, perplexe. « La pièce. » J'ai payé mon café ; lui, le sien. Les codes tombaient. Le manque d'argent, la peur de manquer, les privations, les comptes séparés – je découvrais. La difficulté d'être un étranger, de ne pas parler la langue, de ne pas contrôler son accent, d'être d'ici et de là-bas, l'isolement, l'éloignement des siens, je découvrais, les filles sans père, les hommes sans femme, ce qui peut être dit et ce qui ne le peut pas.

Tout m'intriguait. Ce Malien en chemise à jabot et chaussures vernies qui avait placé la plupart des

Africains du centre sous sa coupe. Cet Ivoirien au regard doux qui passait son temps au parloir auprès de ses trois femmes ; à tour de rôle, fidèles, soumises, elles venaient le réconforter. Cet Albanais, ses yeux d'un bleu métallique, sa démarche dégingandée, toujours entouré de deux filles à moitié nues. Quelque chose de doux et de violent à la fois. Une fragilité palpable. Le cliquetis des clés trop lourdes dans les serrures des grilles du centre. Les voix grondantes dans les haut-parleurs. Et les pleurs des femmes qui déchiraient la nuit.

11

Les visites rythmaient la vie dans le centre, les retenus ne vivaient que dans l'attente de ce moment où ils pourraient enfin oublier les mesures temporelles. Ceux qui avaient la chance d'avoir de la famille en France recevaient des affaires de rechange, de l'argent, mais la plupart des retenus étaient arrivés seuls et repartiraient ainsi, déliés de toute attache.

Après le déjeuner, Yuri et moi nous trouvions dans la cour quand nous avons entendu son nom crié dans les haut-parleurs. Je l'ai accompagné jusqu'à la grille principale. Un gendarme l'attendait : « Vous avez de la visite, a-t-il dit sans animosité, venez, je vais vous faire passer. » Je me suis tournée vers Yuri : son regard s'était assombri. « Qui est-ce ? » ai-je murmuré. Et, froidement, sur un ton qui dissimulait mal son inquiétude, il a répondu qu'il n'en avait aucune idée.

Pendant son absence, j'ai écrit. Tout ce que j'avais vu, entendu, ressenti, était soigneusement consigné sur le petit carnet noir que je gardais toujours sur moi. J'étais assise par terre, à l'entrée de la grille. J'observais le va-et-vient des retenus. Ils portaient les mêmes vêtements que la veille, effectuaient les mêmes gestes. Un arrêt sur image.

Yuri est réapparu un quart d'heure plus tard, le visage crispé, les mâchoires serrées. « C'était ma sœur. » La veille, m'expliquait-il, il l'avait appelée du commissariat pour lui dire qu'il avait été arrêté mais il lui avait recommandé de ne pas venir le voir et elle avait bravé l'interdit qu'il lui avait pourtant signifié des dizaines de fois au téléphone, *ne viens pas, envoie quelqu'un d'autre pour les papiers, ils vont t'arrêter quand ils sauront que tu n'as pas le droit de rester en France.* Elle n'a pas été inquiétée. Les policiers savaient qu'elle était en situation irrégulière mais ils l'ont laissée entrer au centre. Elle a vu son frère, lui a apporté des vêtements propres et les documents dont il pouvait avoir besoin, des garanties de représentation prouvant qu'il était en France depuis quelques années, des quittances d'électricité, une lettre d'hébergement émanant d'un Biélorusse qui avait obtenu l'asile politique trois ans auparavant. Je le découvrais dur, intransigeant : « Elle est inconsciente », a-t-il conclu sèchement. « Tu ne comprends pas, certains lieux nous sont interdits. » Il évitait les gares, les aéroports, les endroits où les officiers de police effectuent des contrôles fréquents, traquent les comportements suspects. Il ne voyageait jamais sans titre de transport. Il ne parlait pas le biélorusse dans des lieux publics – sa langue le stigmatisait, le trahissait. Il ne suscitait pas la moindre querelle, toutes les actions qui pourraient engendrer une dénonciation. Il ne voulait pas être remarqué, il chuchotait – il en avait l'habitude. Une vie sous contrôle.

Toute la complexité du monde se dessinait là, dans l'enceinte du centre, et j'étais impuissante : aucun des accessoires de la démocratie, ces hochets que l'État agitait au-dessus de nos têtes pour calmer notre colère et notre rage, ne pouvaient m'aider à la cerner.

Il y a un moment, dans toute histoire d'amour, où l'on sent confusément que nos résistances tombent. J'avais lutté, refréné mes pulsions et je lâchais prise. Est-ce que c'était son récit, ce qu'il avait éveillé en moi, sa douleur qui faisait écho à la mienne, est-ce que c'était son humour, cette froide ironie, son désespoir maîtrisé qui m'avaient séduite ? J'étais comme une mouche happée par une main, capturée sans que j'eusse cédé à aucun désir, tentant vainement de me libérer d'une emprise tactile que je recherchais autant que je la fuyais.

Je perdais le contrôle. (Et j'avais décidé de ne pas laisser mes sentiments m'aliéner. Etre amoureux, c'était comme tenir un serpent contre soi, vivre dans la peur d'être mordu, dévoré, tué. Je n'avais jamais eu le goût du risque.)

J'étais doublement prise au piège. Convoquée au tribunal de mes origines, intoxiquée par le poison du sentiment – tout ce que j'avais tenté en vain de fuir.

13

Le retour au bloc en milieu d'après-midi. La musique arabe, encore. *Et vite, se laver de toute cette merde,* s'est écriée une femme d'origine maghrébine. La douche avec quatre autres femmes, une Malienne, une Algérienne, une Chinoise et l'une des Tchétchènes qui partageaient ma chambre, eau brûlante sur peaux brunes et claires, couleurs contrastées – et, ô ! pudeur partagée, portes défoncées, soumises aux regards, ô ! pudeur oubliée, sexes dissimulés derrière les mains. Gratter les corps – impurs. Jusqu'au sang, racler les blessures. Langues étrangères entremêlées, voix rocailleuses, fluettes, et chacune son tour, la pauvreté, la misère, la faim, les camionnettes du bois de Vincennes *et combien c'est la pipe ?* A quinze dans un studio à fabriquer des nems pour des restaurateurs français *Au boulot bande de putes !* Le-travail-au-noir-est-une-forme-d'esclavagisme, avait dit le président Chirac et tu as été esclave en Egypte, Souviens-toi ! Des nems avariés. Qu'ils crèvent, la guerre, les patrouilles à toute heure, les enlèvements et la peur, une balle en pleine rue, en plein jour, en plein visage et la France, le centre, et la peur internationale, les menaces de mort – hé, le cadavre bouge encore ! –, ranimez-le, eau brûlante sur corps glacé. Yeux grands ouverts. Dehors !

14

Ce soir-là, après le dîner, je suis entrée dans l'un des blocs réservés aux hommes, j'ai enfreint la règle, bravé l'interdiction, déjoué la vigilance des sentinelles, et j'étais semblable à ces femmes terrorisées, amoureuses, compagnes de retenus, pâles silhouettes qui se faufilaient dans les couloirs pour rejoindre leurs maris, leurs amants, et j'étais semblable à cette jeune Albanaise aux yeux-qui-ont-tout-vu, cette fille sans éclat que son homme envoyait faire la passe, sous la menace, *et si tu parles, ta famille j'l'assassine !* et comme elles j'avais peur parce que, chut ! aurait dit ma mère, sois discrète, je suis entrée, inconsciente, déterminée, quelle importance, je me suis frayé un passage entre ces corps immobiles et droits, j'allais le retrouver, je voulais le surprendre mais comment supporter les regards, les sifflets et ces mots gravés au cutter sur la porte des toilettes : *J'baiserai la France jusqu'à c'qu'elle m'aime, J'violerai vos femmes* et vite, j'ai pensé marcher jusqu'à lui avant que – mais les voilà, ils sont entrés, deux gendarmes, *Vous n'avez rien à faire ici, c'est interdit, partez.*

Le matin, au réveil, Samir a été retrouvé incons-
cient, il avait tenté de se suicider pendant la nuit
en avalant des écrous. Personne n'avait donné
l'alerte – il dormait seul dans sa chambre, aucune
femme n'ayant accepté de la partager avec lui. Il a
aussitôt été transporté à l'hôpital de Meaux et placé
en psychiatrie. Il évitait ainsi la reconduite à la frontière. L'enfermement, l'ennui, la promiscuité plon-
geaient les retenus dans une atonie dangereuse. La
moindre contrariété les embrasait. Ils ne résistaient
que grâce à l'absorption quotidienne de médica-
ments, de drogues. S'ils n'agressaient pas les autres,
certains portaient atteinte à leur propre intégrité.
Ils se mutilaient, se scarifiaient, exécutant un céré-
monial tribal qu'ordonnait leur désordre intérieur –
leur désespoir.

Aucune émotion n'a transpercé le regard de Yuri
lorsque je lui ai appris que Samir avait tenté de se
suicider. Il est resté imperturbable ; à peine a-t-il

esquissé un mouvement d'épaule. Ce qui me choquait le laissait indifférent. A moins qu'il ne se protégeât. Il contrôlait tout, gommait toute émotion trop vive. J'étais désemparée par ses réactions. Je devinais les peurs qui les avaient provoquées.

Je ne pouvais pas les comprendre.

Avec moi, il soufflait le chaud et le froid, tantôt proche, tantôt distant – je cernais mal ses désirs –, et je le provoquais, je le testais, il m'attirait, me résistait. Jusqu'à quand ? me répétais-je car je me sentais affaiblie par ses non-dit, ses volte-face et l'instabilité de son humeur.

J'ai dit Fais-moi confiance je ne te laisserai pas. Il a répliqué C'est fini, pendant que nous marchions. C'est fini, je vais partir, quitter la France. Qu'est-ce que tu connais, toi, à la peur d'être renvoyé d'un pays ? Je l'ai saisi par le bras, il n'a pas eu un geste tendre et, froid, le visage aussi fermé que la première fois où nous nous étions rencontrés, dur, presque hostile – et j'avais envie de le frapper pour le faire réagir, le mordre jusqu'au sang, qu'il dessine un rictus sur son visage, qu'il me fasse un signe –, oui, dur, presque effrayant avec cette soudaine rigidité comme s'il s'était muré en lui-même, semblable à ces statues de bronze érigées à la gloire des dictateurs locaux qui encombraient encore les rues de son pays, et j'aurais voulu la renverser cette figure de pierre, il n'avait toujours pas ouvert la bouche, calme, imperturbable – et pourtant, il m'avait protégée, comment pouvait-il m'ignorer à présent, m'humilier par ses silences, comment osait-il instaurer cette distance entre nous, je n'étais plus rien, une étrangère en terre étrangère.

16

La convocation devant le juge de la Chambre des 35 bis, en début d'après-midi. Mon nom hurlé dans les haut-parleurs du centre. Les formalités administratives – interminable temps mort. J'ai attendu l'escorte dans une salle bleue minuscule. A mes côtés, un gendarme blond, aux cils immenses, jouait avec son trousseau de clés. Un homme obèse au visage couperosé nous a rejoints. Me désignant, il a dit à son collègue : C'est pour ça que tu me déranges ? Le départ enfin, en fourgon, gyrophare allumé. Et cette pensée qui ne me quittait pas : je suis passée de *l'autre côté*.

J'ai attendu longtemps dans une petite salle, escortée par deux gendarmes. Il faisait chaud, j'avais la peau moite, je n'avais pas changé de vêtements depuis mon arrivée au centre. Mon pull exhalait des effluves d'ambre – ultime souvenir olfactif de ma vie passée. Personne ne s'adressait à moi. Un pion sur l'échiquier juridique. Un élément invisible. C'était une épreuve préliminaire, une étape supplémentaire et indispensable dans le processus d'exclusion. Il fallait être patient, résistant – nous n'étions pas tous armés pour cette lutte. Les clandestins qui ne parlaient pas français, surtout, les plus démunis, qui guettaient la silhouette de leur interprète. A mon côté, un Sri-Lankais, les yeux embués de larmes, a fait de grands gestes avec ses mains, puis, lisant l'incompréhension dans le regard de ses interlocuteurs indifférents, s'est assis dans un coin de la pièce sans bouger. C'était une guerre ouverte, une lutte contre la machine étatique qui ingérait ces corps étrangers qu'elle recrachait presque aussitôt avec violence. Je pensais à Yuri, j'avais décidé de tout faire pour l'aider à être libéré, empêcher sa reconduite à la frontière. Il y avait une forme d'orgueil dans ce désir, je m'attribuais un pouvoir que je ne possédais pas, envisageais une incursion dans un domaine d'action qui m'était totalement étranger. Face aux juges, aux gendarmes, il eût fallu gesticuler comme une bête sauvage, argumenter comme un avocat, manifester comme cent mille hommes.

Je suis restée ainsi deux heures, sans bouger, sans parler à quiconque. Puis ils m'ont demandé de me lever et m'ont guidée jusqu'à la salle d'audience. « Ana Vasilescu », a annoncé le juge. Je suis entrée, accompagnée d'un gendarme. C'était une pièce de petites dimensions qui ressemblait plus à une salle de classe qu'à un tribunal, les bureaux du juge et du greffier étaient surélevés par rapport à celui de la représentante de la Préfecture. Je me suis assise sur une chaise, le torse calé derrière une table en bois, comme à l'école ; seule, sans avocat.

Le juge était un homme osseux, au visage grave, sévère, assuré de sa prééminence. Il était très impressionnant avec sa robe de magistrat, d'un rouge vif, et cette fourrure blanche qui en dépassait. Devant lui, à sa droite, une femme aux cheveux gris qui portait des lunettes carrées et multicolores : la représentante de la Préfecture de police. Je me trouvais à sa gauche ; penchée en avant, je cherchais à échapper à son regard accusateur.

— Bien, commençons, a dit le juge. Vous avez indiqué vous appeler Ana Vasilescu et être née le 6 avril 1975 à Bucarest.

— Oui.

— Vous faites l'objet d'un arrêté de reconduite à la frontière. Vous n'avez pas de passeport ?

— Non.

— Où habitez-vous ?

— Chez une amie.

— A quelle adresse ?

J'ai donné l'adresse d'une amie.

— A Paris. 13, rue Manin, dans le 19e.

— Quand êtes-vous arrivée en France ?

— Il y a six mois.

— Vous habitez ici depuis six mois alors que vous aviez un permis de séjour de trois mois, vous savez que c'est illégal ?

J'ai acquiescé.

— Comment se fait-il que vous parliez si bien le français ?

— J'ai appris à l'école.

— Pourquoi êtes-vous venue en France ?

— Je n'ai rien en Roumanie et...

— Vous êtes venue mendier, c'est bien ça ?

— Non, je travaille.

— Voyez-vous ça, mais vous n'avez pas le droit de travailler...

Je suis restée silencieuse.

— Est-ce que vous souhaitez retourner en Roumanie ?

— Non.

— Ah ! Mais pour rester en France, il faut en avoir le droit !

La représentante de la Préfecture de police s'est levée brusquement de sa chaise :

— Compte tenu du fait que mademoiselle Vasilescu n'a pas d'identité vérifiable, pas de passeport, ni de garanties de représentation en France, je sollicite son maintien en rétention pour cinq jours afin d'organiser son départ vers la Roumanie. Le consul a rendez-vous avec elle dès demain et un vol est prévu pour Bucarest le 15 novembre prochain.

Tout cela n'avait duré que quelques minutes.

— Vous n'avez rien à dire ? a demandé le juge.

J'ai lâché un « non » inaudible. Il y a eu un long silence dans la salle. On n'entendait plus que les doigts du greffier tapotant le clavier de l'ordinateur et les quintes de toux d'un visiteur qui assistait à l'audience. J'ai levé les yeux, croisé le regard du juge et soudain, il s'est mis à crier en pointant son doigt vers moi : « Partez ! Partez vite ! » Il s'est tourné vers le greffier, lui a dicté quelques mots, puis, pivotant vers moi, il a ajouté : « Et ne revenez pas ! »

La violence avec laquelle il avait lâché cet ordre. Le séisme intérieur que ces mots avaient provoqué en moi. Et la haine, la haine puissante qui m'animait désormais comme si j'étais une arme automatique placée dans la main d'un fou, une arme qui pouvait s'enclencher à tout moment, un délire et – bang !

Partez ! a hurlé, d'un ton rageur, celui qui, en d'autres circonstances, d'autres lieux, m'aurait parlé avec bienveillance et estime. Il aurait pu être mon professeur de droit, jadis, m'enseignant les droits de l'Homme dans cette grande salle aux boiseries précieuses avec vue sur le Panthéon, cette salle immense où je réalisais l'œuvre d'intégration citoyenne dont mes parents avaient rêvé pour moi.

Partez ! a répété le représentant de la justice française, cherchant par tous les moyens, par l'agressivité, l'humiliation, à me chasser, me dissuader de revenir chez lui, en France. J'étais en faute, il fallait me punir, les clandestins sont ces enfants monstrueux que l'on cache, que l'on éloigne, ces hommes auxquels nous avons peur de ressembler, et à qui s'adressait-il, à la Roumaine dont j'avais usurpé l'identité, celle-là, il pouvait bien exercer son pouvoir sur elle, et regardez-la, recroquevillée sur elle-même, où espérait-elle se cacher ? Partez et ne revenez plus, vous êtes venue en France pour mendier, n'est-ce pas ? Vous n'avez rien à faire ici, une place est retenue pour vous le 15 novembre 2005 dans un vol à destination de Bucarest.

Sans un mot, j'ai quitté la salle d'audience.

Il fallait avoir vu, me répétais-je en moi-même dans le fourgon qui me ramenait au centre. Il fallait avoir vu les regards – condescendance et mépris mêlés –, il fallait avoir vécu l'attente, le long écoulement du temps et l'humiliation, exercice de torture comme une épreuve d'effort imposée à un cardiaque. Il fallait avoir entendu les voix des retenus, filets inaudibles qui se fracassaient contre les timbres grondants, assurés de l'Autorité. Alors seulement, on pouvait comprendre.

17

Les yeux de Yuri. Les yeux noirs qui jugeaient :
Ah, *ta* France ! Visage pâle, traits déformés par
l'angoisse – les candidats à la République avançaient
masqués. Il m'attendait à l'entrée du bloc des
femmes, nous n'étions pas rentrés par le même fourgon. Il était déjà tard, un peu plus de 17 heures, le
soleil déclinait lentement. A ses côtés, des hommes
se tenaient immobiles, ils discutaient. Il m'a tout de
suite réclamé une cigarette et je lui ai tendu un
paquet. Il en a pris une, l'a portée à sa bouche ; son
visage, nimbé de volutes blanches, s'est légèrement
décrispé. Il paraissait nerveux. Il ne m'a pas
demandé comment s'était déroulée mon audience.
Il parlait de lui – de lui seul.

— Le juge veut me renvoyer chez moi, a-t-il dit
sur un ton monocorde.

— Quand ?

— Je ne sais pas, il faut que le consulat délivre
un laissez-passer.

— Pour moi, c'est...

Il n'écoutait pas, il a pris ma main, en a caressé la paume avec son pouce.

— Mais j'ai fait appel de la décision de reconduite à la frontière, je suis convoqué devant le juge demain après-midi.

— Je viendrai à l'audience, je vais tout avouer aujourd'hui, ils me laisseront sortir. Une fois dehors, je pourrai t'aider et...

— Non, non ! s'est-il écrié avec virulence.

Devant ma mine défaite, il a ajouté avec ironie :

— Si tu quittes le centre, j'avale une lame de rasoir, une pile et un écrou.

Au centre, c'était encore le meilleur moyen de survivre.

18

Pendant le dîner, je suis restée silencieuse, un peu à l'écart. Je commençais à ne plus supporter le rythme imposé par les responsables du centre, le bruit, les cris et la peur qui me tenaillait le ventre.

A table, je ne parlais qu'à Yuri. Peut-être que je pressentais ce qui allait se passer quelques heures plus tard, vers 23 heures quand nous avons été réveillées par des cris : *Au feu !* Et ce n'était pas un cauchemar. Nous sommes sorties dans le calme, des flammes s'élevaient de l'un des blocs. Au centre de la cour, devant la machine à café, des hommes brandissaient des banderoles fabriquées à l'aide de draps déchirés sur lesquels ils avaient écrit, au feutre rouge, les mots suivants :

NON AUX EXPULSIONS SANS LAISSEZ-PASSER ! LIBÉREZ-NOUS ! RESPECT DES DROITS DE L'HOMME !

Toutes les lumières du centre étaient éteintes. Les hommes noirs se fondaient dans l'obscurité. Les retenus étaient un peu moins d'une centaine. J'ai cherché Yuri dans la foule opaque, hurlante. Je ne le voyais pas. Ils étaient tous encerclés par des gendarmes. Le capitaine S. s'est avancé, il n'était pas armé : Calmez-vous ! On va parler !

On n'a rien à vous dire.

C'est pas une vie.

Nous parler avec vous. Vous pas écouter.

On veut juste sortir et vivre tranquilles.

On peut pas rester comme ça à rien faire.

Respect des droits de l'homme !

On a froid dans les chambres, y a pas d'cigarettes, ils nous gardent comme ça sans raison.

On n'est pas des animaux.

On n'est pas des criminels.

On n'a rien fait !

On n'est pas des terroristes !

Pourquoi la France donne pas visas à tous ?

On va tout faire péter !

C'est pas humain.

On n'est pas des esclaves !

Liberté, égalité !

On va faire sauter le centre !

On a des droits !

Le capitaine S. les écoutait, entouré de dizaines de gendarmes prêts à intervenir en cas d'attaque. Puis, il s'est approché d'eux :

— Ecoutez, je comprends tout ce que vous me dites, je comprends votre colère et votre douleur. Je sais que vous avez envie de sortir, d'être libres, je sais que vous en avez assez d'attendre, d'être enfermés ici contre votre gré, mais je ne peux rien faire, l'administration rend des décisions, nous ne faisons que les appliquer.

19

Nuit blanche – impossible de fermer l'œil. Les autres retenues dormaient à poings fermés. Anxiolytiques, somnifères, distribution automatique, médecin transformé en dealer, mais comment apaiser la peur, le stress et le manque qui les réveillaient à toute heure, la queue devant le cabinet médical, dès l'ouverture, *nous voulons dormir, nous sommes épuisés* et le mal au ventre, l'étau dans la poitrine – moralement détruits –, l'angoisse, dès le matin, l'angoisse de ne pas savoir s'ils vont rester, partir et à quelle heure, s'ils reverront leur famille, leur femme et leurs enfants – quand ? – des clandestins, comme eux, interdits de visite sous peine d'être arrêtés à leur tour.

Je me suis levée comme un automate. Je suis sortie, les cheveux noués en chignon, le visage chiffonné. Dehors, tout était calme. La révolte avait été matée en échange de quelques promesses qui seraient tenues : la réparation du chauffage, du distributeur de cigarettes. Yuri m'attendait devant la porte. Il était peigné, rasé de près. Il portait une chemise noire et une cravate. Il fumait. Il m'a attirée vers lui, m'a embrassée.

— Tu as un rendez-vous ? ai-je demandé.

— Avec le juge. Un retenu m'a donné ses vêtements. Tu penses quoi ?

Il a ouvert les bras comme pour mieux me laisser admirer sa tenue.

— Tu ressembles à un cadre supérieur français. Dès que le juge va te voir, il va te donner une carte de séjour.

— Je suis pas l'immigré dont toute l'Europe rêve : beau, intelligent, sensible, travailleur ?

Il s'est approché de moi. Je sentais son souffle dans mon cou ; sa joue frôlait la mienne.

— J'ai mes chances, tu crois ?

— L'immigration va être choisie, avec ta cravate, tu as toutes tes chances, crois-moi.

Il a reculé.

— Même si j'obtenais mes papiers, la nationalité française, je ne serais jamais considéré comme un des vôtres. Je resterais un étranger aux yeux des Français mais je deviendrais un Français pour les miens.

— On est toujours un étranger...

— Et moi plus que toi. J'ai un accent, un nom à consonance étrangère.

Je n'ai pas répondu. Nous sommes entrés dans le réfectoire. Il me semblait que chaque parole prononcée, chaque geste effectué dans l'intimité du centre me ramenaient à mon histoire. L'accent

106

– mes parents avaient passé une vie à le museler, à le cacher comme ces chairs flasques qu'un vêtement trop étroit laisse ressortir, et comment les dissimuler, les gratter, les repousser ces peaux mortes jusqu'à les rendre invisibles à l'œil nu. Le nom que nous n'avions jamais voulu changer ni franciser. Fierté d'étranger. Signe ostentatoire. D'où vient ton nom ? La grande question de l'identité. Il vient de mon père, fils de, de mon grand-père, fils de. Et ainsi de génération en génération, les noms que nous portons, qu'ils nous identifient, nous stigmatisent, qu'ils nous rappellent à nous-mêmes que nous ne sommes pas d'ici, puisque nous voulons l'oublier.

Que nos accents nous trahissent.

Que nous restions des étrangers.

Yuri n'a pas parlé pendant le petit déjeuner. La perspective de rencontrer le juge le déstabilisait. Il était pâle, anxieux. Des gendarmes l'attendaient pour l'accompagner au tribunal. Il m'a serrée contre lui d'un geste brutal, puis m'a relâchée. Je l'ai regardé s'éloigner d'une démarche lente, les paupières lourdes, mi-closes. Dans ma tête, les mots du poète : *C'est un dur métier que l'exil.*

Dans la matinée, j'ai été emmenée à l'ambassade de Roumanie, un grand bâtiment marron, sans charme, situé à Paris, dans une petite rue du 7e arrondissement. Là, dans une pièce surchauffée, j'ai rencontré les responsables consulaires. Ils m'ont posé diverses questions auxquelles j'ai refusé de répondre, je ne savais plus comment me sortir de l'inextricable imbroglio que j'avais fabriqué. Je savais ce que je faisais, j'avais agi, menti, sciemment mais, face au consul, à son regard perplexe, presque menaçant, je me trouvais aussi démunie que le jour de mon arrestation. C'était un homme qui portait barbe et moustache, engoncé dans un costume trois-pièces taillé dans un tissu épais qui faisait ressortir ses formes. Il fumait un cigarillo en me crachant la fumée au visage. Dans son regard, je n'étais qu'une ressortissante comme une autre, un déserteur qu'il faudrait ramener, une fauteuse de troubles. Je n'imaginais pas que cet entretien prendrait une suite tragique, que le consul me reconnaîtrait en tant que citoyenne roumaine et accorderait aux autorités françaises un laissez-passer leur permettant de me reconduire à la frontière. Le jour où j'avais été arrêtée, j'avais donné le nom de la seule Roumaine que je connaissais, je n'avais pas imaginé alors que je resterais au centre, serais présentée devant un juge. Or, les services douaniers avaient gardé la trace, dans leurs fichiers, d'une Ana Vasilescu qui était entrée légalement en France en juin 2005 – la fille qui gardait mon grand-père. Moyennant cinquante-cinq euros que l'État français leur reverserait dès mon départ, les autorités roumaines m'avaient reconnue comme une des leurs en un temps record. Si je n'avouais pas ma supercherie, j'allais être embarquée pour la Roumanie, un pays dont je ne savais rien si ce n'est que des centaines de ses concitoyens le fuyaient dans des conditions souvent difficiles.

Pendant le trajet du retour, je pensais à Yuri, à ce qu'il dirait quand il apprendrait que j'allais être envoyée en Roumanie. Cette situation devenait tragi-comique. J'aimais ces oscillations qui donnaient un sens à nos vies mornes.

21

Dès mon arrivée, je me suis précipitée vers les grilles du centre. Je suis allée dans la salle de jeux, j'ai longé le terrain de foot, Yuri ne s'y trouvait pas ; j'ai marché jusqu'au bloc où il logeait.

— Où est Yuri Statkevitch ? ai-je demandé à un homme qui fumait devant la porte.

Il ne parlait pas français. Il a fait un geste de la main. Je me suis dirigée vers un autre retenu qui observait le va-et-vient des gendarmes, un gobelet à la main. C'était un Yougoslave aux cheveux longs et sales qui se trouvait déjà dans le centre à notre arrivée.

— Est-ce que vous savez où est Yuri Statke-vitch ?

— Je sais pas qui c'est.

— Il dort dans ce bloc, chambre 302.

— Je sais pas, je connais pas tout le monde ici ; les hommes, ils vont, ils viennent. T'as pas un euro ?

Je suis entrée dans le bloc, défiant les surveillants. Des hommes traînaient dans les couloirs. Ils me regardaient avec perplexité. Des dizaines de mégots de cigarettes jonchaient le sol. L'un des hommes m'a apostrophée :

— Qui t'es ? C'est interdit aux femmes ici. Si les flics te voient, on va avoir des problèmes.

— Je cherche Yuri Statkevitch.

— Connais pas, t'as vu dans la salle là-bas ?

Yuri était un inconnu pour eux. Les hommes se croisaient sans tisser aucun lien entre eux. L'individualisme – condition de survie au centre. Je suis entrée dans la salle de détente, des hommes regardaient la télé, assis par terre. Ils m'ont dévisagée avec méfiance.

— Qu'est-ce tu veux ?

— Je cherche Yuri, un homme brun avec les cheveux épais et une veste en jean.

— Le Moldave ? a demandé un homme d'une quarantaine d'années aux cheveux coupés très court. Il était dans ma chambre.

— Chut ! a crié l'un des retenus en désignant le téléviseur.

— Non, le Biélorusse.

— Quelle chambre ?

— Chambre 302.

— Alors c'est le Moldave. Grand aux cheveux noirs, sa veste, elle a un col en velours.

— Oui, c'est lui mais vous vous trompez, il...

— Ecoute, je suis moldave, on parlait ensemble, je sais ce que je dis. Il venait d'un petit village, il est arrivé en France avec sa mère il y a quatre ans. Elle est même venue le voir ici, hier, pour lui apporter des affaires.

112

J'étais effarée, je ne comprenais pas pourquoi Yuri avait menti, il m'avait confié qu'il venait de Minsk, que sa mère était morte.

— Il s'est fait passer pour un Biélorusse pour avoir une chance d'obtenir le statut de réfugié politique, a dit l'homme qui partageait sa chambre. C'est très tendu, là-bas, en Biélorussie. Si tu dis que tu es persécuté par le pouvoir, tu peux t'en sortir. Il y a la Géorgie aussi, l'Azerbaïdjan... il faut mentir si tu veux rester. Les Moldaves sont renvoyés directement. Immigration économique, ils disent, personne n'en veut.

— Est-ce que vous savez où il est ?

— Il est parti, a dit l'homme.

— Où est-il ?

— Je sais pas, un autre retenu a pris sa place dans sa chambre.

— Vous en êtes sûr ?

— J'étais dans sa chambre !

— Mais quand est-il parti ?

J'ai lâché ces mots en haussant le ton, l'homme qui regardait la télévision s'est énervé : « Taisez-vous ! »

— Ce matin, je crois.

— Il vous a laissé un numéro ?

Il a grimacé :

— Un numéro ? tu crois qu'on est ici pour remplir notre carnet d'adresses ? Je suis là depuis vingt jours et j'ai déjà vu passer sept ou huit hommes.

Je suis sortie, j'ai couru jusqu'à la guérite où un gendarme faisait le guet.

— S'il vous plaît, je cherche Yuri Statkevitch !

— Je n'en sais rien, moi, allez demander à la Cimade ou au chef du centre.

Je devenais folle. Je ne pouvais pas envisager ma présence dans le centre sans Yuri à mon côté. Je suis entrée dans le bâtiment réservé à la gestion administrative, me suis dirigée vers la salle attenante aux locaux de la Cimade. Des hommes attendaient en fumant, l'un d'entre eux avait noué une serviette de toilette sur sa tête à la façon d'un keffieh, il portait des tongs aux pieds et avait gardé ses chaussettes. J'ai dit c'est urgent, vite, laissez-moi passer, je vous en prie. Ils ont dit non, on attend depuis une heure, c'est chacun son tour, t'as qu'à attendre, c'est c'qu'on fait tous. J'ai demandé à l'un d'entre eux de me prêter son portable. T'as une cabine téléphonique dehors. Et il a allumé une autre cigarette. S'il vous plaît ! Il a dit ici c'est chacun pour soi. Je suis restée dans la salle. Il n'y avait pas de femme autour de moi, j'avais remarqué qu'elles limitaient leurs déplacements dans le centre. Je pensais à Yuri : Ce qui nous avait rapprochés, c'était peut-être moins une séduction physique qu'une même propension à la mystification : mentir sur nos origines devenait l'objet social de nos petites entreprises individuelles. Mais je me sentais abandonnée.

Les retenus ont quitté la salle les uns après les autres. Enfin, l'homme en noir m'a appelée. Je suis entrée dans son bureau et, sans prendre la peine de m'asseoir, j'ai dit que je cherchais Yuri Statkevitch sur un ton qui dissimulait mal mon agitation.

— Asseyez-vous et calmez-vous.

— Yuri Statkevitch n'est plus dans sa chambre.

L'homme a tapé le nom sur son ordinateur.

— Il a été libéré.

— Mais ce n'est pas possible.

— Le juge l'a remis dehors, il a dû être libéré à sa sortie du tribunal.

— Mais pour quel motif ?

— Un vice de forme dans la procédure. Il a eu de la chance.

— Il va revenir chercher ses affaires ?

— Non, à chaque convocation devant le juge, les retenus emportent leurs affaires avec eux. Il ne reviendra plus.

Je me suis levée.

— De quelle nationalité était-il ?

— Biélorusse, c'est ce qu'il a écrit.

— Mais vous aviez un moyen de le vérifier ?

— Comment ? Il n'a pas présenté son passeport. C'est comme vous, vous prétendez être roumaine mais je n'ai aucun moyen de savoir si vous dites la vérité.

Il avait deviné que je mentais, sous l'émotion, je n'avais pas maîtrisé mon accent.

— Ici, les gens se font passer pour ce qu'ils ne sont pas, ils mentent pour avoir une chance de s'en sortir.

Il m'a regardée avec une certaine connivence.

— Ils mentent aussi pour des raisons que j'ignore...

J'ai dit merci, est-ce que je peux passer un coup de fil. Oui, oui, il a répondu, allez-y. Alors, j'ai composé fébrilement le numéro de mon père en redoutant le moment où j'entendrais sa voix qui dirait « Allô ? » et la mienne qui chercherait ces mots au fond de la gorge : « Viens, viens me chercher, je suis enfermée dans un centre de rétention pour étrangers. »

22

La voix de mon père. Ses différentes intonations. Et les sentiments qu'elles trahissaient : l'étonnement, l'incompréhension, la colère, le détachement et l'agitation. Un Méditerranéen : enfin, il s'est énervé – *tu es folle*. Il possédait un double des clés de chez moi, j'attendrais qu'il revienne de Londres. Il était trop tard pour appeler quelqu'un d'autre, lui demander de venir chercher les clés et de retourner chez moi prendre mon passeport, les visites ne seraient autorisées que dans l'après-midi. « Je vais prendre le premier avion et appeler un avocat, a dit mon père, mais je ne peux rien régler d'ici. Sans ton passeport, ils ne te laisseront pas sortir. »

Pendant le déjeuner, j'ai réfléchi à la stratégie à adopter vis-à-vis des autorités. Des poursuites judiciaires seraient sans doute engagées contre moi. J'avais menti, usurpé l'identité d'une autre, il faudrait s'expliquer, argumenter.

En sortant du réfectoire, j'ai croisé l'homme qui partageait la chambre de Yuri. Il s'est avancé vers moi :

— Il t'a appelée tout à l'heure.

— Quand, comment ?

— Avant le déjeuner. J'étais dans la cabine 2, je téléphonais à ma femme, le téléphone a sonné dans la cabine 3, j'ai répondu : c'était Statkevitch, il a demandé à te parler mais je lui ai dit de rappeler, je savais pas où t'étais et on peut pas entrer chez les femmes.

— Est-ce qu'il t'a dit quelque chose ? Il a laissé un numéro ?

— Non, il va rappeler ce soir, c'est ce qu'il a dit. Après le dîner, va dans la cabine.

23

— Le vol a été avancé, m'a annoncé froidement
un gendarme blond âgé d'une vingtaine d'années,
vous rentrez cet après-midi en Roumanie.

— C'est impossible.

Un des retenus qui devaient embarquer ce jour-là
pour le vol Paris-Bucarest avait été victime d'un
malaise cardiaque. Son départ avait été annulé ; le
consulat ayant accordé un laissez-passer, je prenais
la place vacante. Tout s'était joué en quelques
heures.

— Préparez vos affaires.

— Mais je suis française !

— Oui, mademoiselle Vasilescu, et moi, je suis
sénégalais.

J'ai monologué longtemps, en employant des
mots rares. A mesure que je parlais, je voyais son
visage se décomposer mais, soit qu'il fût sceptique,
soit qu'il jugeât que mon imposture méritait le ren-
voi vers un pays étranger, il n'a pas réagi.

Deux gendarmes sont venus me chercher. L'un d'entre eux portait une énorme gourmette en argent sur laquelle était gravé son prénom.

— Je veux un avocat, ai-je dit d'une voix ferme.

— C'est trop tard, il fallait le demander avant, a répliqué l'homme au bijou.

J'ai fait deux pas en arrière comme si je m'apprêtais à fuir.

— Je suis française.

— Ce n'est pas ce que vous avez indiqué en arrivant.

— J'ai menti pour pouvoir rester dans le centre, j'ai été arrêtée par erreur et je pensais pouvoir aider un retenu à...

— Pour nous, pas de doute, vous êtes roumaine, a conclu sèchement son collègue qui jusque-là était resté silencieux.

Ils savaient que je ne mentais pas, il suffisait de se fier à mon accent. Des erreurs s'étaient déjà produites. Des hommes en situation régulière avaient été arrêtés et renvoyés dans leur pays d'origine. J'ai répété : « Je suis française. »

— C'est ce que vous direz aux autorités roumaines dès votre arrivée à Bucarest.

L'homme à la gourmette avait lâché cette phrase avec un petit sourire.

— Est-ce que je peux téléphoner ?

Ils ont acquiescé. J'ai composé le numéro de mon père. Il a répondu immédiatement. J'ai tout répété en quelques mots. Il a dit : « Ne monte pas dans l'avion ! J'arrive ! »

Dépêchez-vous ! Formalités administratives, attente.

Une jeune Roumaine se trouvait à mes côtés. Elle était grande et maigre avec des traces d'exil dans ses yeux bleutés qui en avaient vu d'autres. Elle portait une jupe trop courte pour la saison qui laissait apparaître des genoux cagneux. Et il y avait son étrange accent, comme si elle mâchait du coton en parlant. Je ne l'avais pas remarquée dans le centre. Elle s'appelait Roxana Ilea et était arrivée en France trois ans auparavant. Elle gardait des enfants chez un couple de professeurs, en banlieue parisienne. Les gendarmes nous ont demandé de patienter dans une salle aux murs bleus, près du local à bagages. A travers la paroi du mur, j'entendais leurs rires, leurs blagues sexistes et les complaintes de quelques retenus qui récupéraient leurs affaires personnelles dans la pièce voisine. Je pensais à Yuri, à ce qu'il faisait – il me manquait.

Au bout de quelques dizaines de minutes d'attente, des gendarmes nous ont demandé de les suivre à l'extérieur.
— Je suis française !
— Vous avez vos papiers ?
— Non mais...

— Si vous n'avez pas vos papiers, nous vous renvoyons en Roumanie.

— Ecoutez, vous faites erreur, je suis française, je suis née à Paris !

Mais ils ne m'écoutaient pas.

— Donnez-nous juste une heure ! ai-je imploré, mon père va arriver avec mes papiers.

— Dans une heure, vous serez dans l'avion pour Bucarest.

Les locaux sombres de la Police aux frontières. Et ce flot de paroles, ce flot continu que rien ne pouvait interrompre, ni les menaces, ni les tentatives d'intimidation, Je ne monterai pas dans l'avion C'est ce qu'on verra De force on te renverra chez toi Une Française je suis Une Roumaine c'est ce que tu as dit nous te croyons sur parole Je ne monterai pas Tu partiras Les étrangers ne font pas la loi chez nous.

Roxana Ilea et moi avons attendu quelques instants avant d'être appelées. A la fouille : *T'as pas intérêt à cacher quelque chose dans tes poches !* Les documents à remplir, les papiers à signer : *Je ne signe rien !* Un homme brun à lunettes m'a dévisagée : *Criez, refusez, crachez, pleurez, quoi que vous fassiez, vous rentrerez chez vous.* D'un geste brusque, il nous a menottées. Un sous-brigadier ainsi que deux fonctionnaires de police nous ont fait entrer dans un fourgon. Ils étaient étonnamment sereins, presque doux. « Nous allons vous reconduire sans incident et dans le calme », a dit le chef d'escorte d'une voix monocorde comme s'il cherchait à se persuader du bon déroulement de l'opération. Nous avons roulé pendant quelques minutes. J'étais résignée, je ne risquais pas grand-chose, un aller-retour Paris-Bucarest, mon père pouvait arriver d'un instant à l'autre. Roxana Ilea, elle, paraissait désemparée, elle s'est mise à pleurer.

Le fourgon s'est immobilisé au pied d'un avion. Est-ce que c'est la vue de l'appareil qui m'a soudain fait prendre conscience de l'inéluctabilité du départ ? J'ai refusé de monter à bord tandis que Roxana a crié, s'est débattue : *Arrivées au pied de l'avion, les non-admises manifestent violemment et bruyamment leur volonté de ne pas partir à Bucarest,* avait indiqué plus tard le chef d'escorte dans son rapport de mission. Je cherchais mon père parmi les hommes qui nous entouraient. Je ne le voyais pas. Roxana hurlait, griffait, frappait. Un policier l'a saisie par les pieds, un autre par les mains, ils l'ont installée au fond de l'appareil. Là, ils lui ont passé les menottes, ont attaché sa ceinture de sécurité et l'ont maintenue pliée en deux sur son siège, tête contre les genoux. Elle ne pouvait plus articuler le moindre mot. Je les avais suivis à l'intérieur de l'appareil en interpellant les membres de l'équipage mais j'étais trop bouleversée moi-même pour tenter la moindre offensive.

Vous ne pouvez pas faire ça !

Les passagers ont commencé à arriver, Roxana gesticulait comme un noyé, cherchant de l'air, de l'aide. *Au secours !* Des voyageurs se sont plaints, ont dit qu'ils ne prendraient pas l'avion dans ces conditions. « C'est pas une façon de traiter nos compatriotes ! » a dit un vieil homme, un Roumain aux cheveux blancs et brillants. Le commandant est intervenu : « Pas d'esclandre à bord. » Un policier nous a menacées : « Vous risquez la prison. » Ma voix. Les hurlements de Roxana : « Je ne peux pas aller à Bucarest ! » A mon tour, j'ai été menottée. « Détachez-les, a répliqué sèchement le commandant de bord, c'est inadmissible. » Et soudain, la vue qui se brouille, l'obscurité. *Je suis française. Je suis française. Je suis française. Je suis française. Je suis franç...*

J'ai pensé : j'ai rêvé, je vais me rendormir, me réveiller, je serai chez moi, dans mon lit, c'est impossible, je ne suis pas dans un avion en direction de Bucarest, je suis en France mais il y avait cette preuve sonore, cette langue qui résonnait partout, qui me pénétrait, m'enveloppait, m'absorbait et je n'en comprenais pas un seul mot – le roumain –, mais il y avait ce regard qui me fixait, les yeux d'un bleu très clair de Roxana, pâle, encore choquée. J'ai dit Je suis française. *Je le sais depuis le début tu ne sais pas mentir.*

Dès notre arrivée à Bucarest, Roxana m'a aidée à accomplir les formalités administratives. L'aéroport de Bucureşti-Otopeni était gris, froid ; je n'avais aucun repère. Mes membres étaient gourds, ma tête, cotonneuse. Je n'avais pas d'argent, pas de papiers. Roxana m'a prêté son téléphone, j'ai appelé mon père, il avait réglé tous les détails de mon retour en France. Il ne pourrait venir que le lendemain matin mais il avait réservé une chambre à mon nom dans un petit hôtel situé à proximité de l'aéroport. Roxana m'a donné de l'argent pour le transport. Pourquoi m'aidait-elle ? Pourquoi était-elle si bien-veillante ? Je lui ai demandé ce qu'elle allait faire maintenant qu'elle était rentrée. « Repartir. Je ne peux pas rester ici, ma mère vit seule, je dois tra-vailler pour lui envoyer de l'argent. Il faut que je prenne le premier car pour Paris. »

Elle m'a accompagnée jusqu'à l'hôtel. Pendant le trajet, elle m'a avoué qu'elle venait de prendre l'avion pour la première fois de sa vie.

— D'habitude, je viens en car. Entre vingt-quatre et trente heures de voyage, à seize ou dix-huit par véhicule, cent vingt euros par personne, sans compter les billets qu'il faut glisser dans le passe-port. Je donne l'argent et le document au chauf-feur qui les transmet à son tour aux douaniers, à la frontière hongroise. Parfois, les douaniers disent : « Vous venez de rentrer en Roumanie, pourquoi est-ce que vous repartez déjà ? », alors tu com-prends qu'il faut donner encore plus d'argent, dis-crètement, un billet au chauffeur qui le donne au douanier.

Cent euros, le prix de ces mots : Vous pouvez passer.

Je lui ai laissé mes coordonnées, j'ai proposé de l'aider. « Non, non, ici, c'est toi l'étrangère. »

Le bus s'est arrêté devant l'hôtel. C'était un petit établissement aux murs gris, qui comprenait une dizaine de chambres. Je suis descendue sans me retourner.

Cette nuit-là, dans cette pièce minuscule avec vue sur un parking, je n'ai pas pu m'endormir. Je redoutais la réaction de mon père. Tout ce que je désirais, c'était rentrer chez moi, à Paris : j'avais assez goûté aux herbes amères.

26

Le lendemain, vers 10 heures, le téléphone a sonné. « Je suis en bas », m'a dit mon père d'une voix calme. Je me suis habillée à la hâte, me suis peignée à l'aide de mes doigts et suis descendue. Il se tenait droit devant moi, le regard dur et, sans même m'embrasser, il m'a tendu mon passeport. *Allons-y.*

Un taxi nous attendait à l'entrée de l'hôtel. « Monte », a dit mon père en ouvrant la portière de la voiture. Il faisait chaud à l'intérieur. Une odeur de cèdre flottait dans l'air. L'autoradio diffusait une vieille chanson d'Otis Redding.

Et quelle folie, t'enfermer avec des étrangers !

Des hommes dangereux, dont tu ne sais rien.

C'est ça, tu as un avenir en Roumanie en tant qu'écrivain juif – il n'y a plus de concurrence.

Et ils auraient pu te violer.

Tu es inconsciente, irresponsable, tu n'es pas raisonnable.

Pauvre idéaliste !

Tu as vu la mine que tu as ?

Inscris-toi à la LCR, prends ta carte dès demain.

Tu me fais honte.

Qui sommes-nous pour nous mélanger à eux ?

Tu as pris dix ans en une semaine.

Et s'ils t'avaient frappée ?

Va vivre en Afrique si cela te chante, engage-toi dans l'humanitaire, travaille pour la Croix-Rouge.

Eh bien ! C'est ça, va vivre en Iran, au Turkménistan ou au Rwanda, ils cherchent des bénévoles.

Tu es ridicule et regarde-toi, tu es sale, avec ce pull-over tu ressembles à une femme de ménage portugaise.

La France ne peut pas accueillir toute la misère du monde.

Dans l'avion, mon père a voulu savoir ce qu'il s'était passé : « tout, depuis le début ». Mon incapacité à trouver les mots justes. Pour la première fois, confrontée à la démission de la langue, à l'impossibilité de décrire ce que j'avais vécu pendant ces trois jours, à l'échec absolu de la narration – puisque aucun récit ne saurait être fidèle à la réalité qui s'était exhibée sous mes yeux, aucun argument suffisamment solide n'aurait pu justifier ma présence, ma détermination à rester au milieu de ces clandestins – et, vite, recours à l'esquive : *Je ne peux plus parler, je suis fatiguée.*

Je me suis endormie. A mon réveil, mon père était debout, son sac à la main, prêt à sortir de l'appareil.

Ma mère nous attendait à l'aéroport. Attentionnée, inquiète, révoltée, en larmes, douce, nerveuse. Dans son regard, je lisais la colère, les reproches, ses pensées se frayaient un passage à travers l'œil noir, accusateur : comment as-tu pu faire une chose pareille ?

28

Arrivée chez moi, j'ai pris un bain, j'ai ouvert les robinets, laissé couler l'eau brûlante. Je ne savais plus où j'étais ni qui j'étais, est-ce que j'avais déjà habité ici, au milieu de tous ces objets ? Je n'avais plus aucun repère. Quand je suis sortie de la salle de bains, j'ai entendu mon père parler au téléphone. Dès qu'il m'a vue, il a raccroché :

— Qui était-ce ?

— Ta sœur.

Devant ma mine déçue, il a dit :

— Repose-toi et oublie cette histoire...

— Tu es tellement détaché...

Une lueur d'ironie a transpercé son regard.

— Ecoute, je suis né juif dans un pays arabe. A seize ans, j'ai perdu mon père. A dix-sept, j'ai quitté mon pays. Trois ans plus tard, j'ai commencé à perdre mes cheveux. A partir de là, j'ai décidé que plus rien ne pouvait m'arriver.

La dérision, toujours. Mais je n'étais plus douée dans le maniement des armes juives.

Je me suis assise en tailleur sur le canapé, près de mes parents qui me regardaient comme si je sortais d'un long coma.

Alors raconte-nous, a dit mon père en tapotant mon genou, maintenant raconte comment c'était à l'intérieur ?

Est-ce que je pouvais raconter ? Est-ce qu'ils voulaient savoir ? Cette jeune Roumaine sur talons aiguilles, ils l'ont violée, deux gitans, *on a un poste de vendeuse pour toi à Paris, direction la Nationale 6, tiens mets cette robe, ces escarpins maquille-toi un peu et sois gentille* – une enfant – elle a dit *je pas pouvoir rentrer chez moi, mon père malade si apprend moi travaille Nationale 6. Si moi rentrer, eux retrouver moi là-bas, direction Kosovo, sur chantier te passeront dessus trente ou quarante gars pour toi comprendre qui dirige.* Quel âge a-t-elle ? Dix-huit ans. Qui veut savoir ? Cet homme, un Turc, il n'a pas revu ses enfants depuis dix ans, sa femme est une Française, où est-elle ? Elle ne veut plus le voir, il dort chez un ami, il n'a plus personne en Turquie, il ne parle pas le français, dix ans déjà, à peine quelques mots, *je vis avec Turcs, travaille sur chantier.* Qui veut savoir ce Tunisien homosexuel converti au protestantisme *et si je retourne chez moi mes frères vont me tuer je vais mourir je ne peux pas partir je préférerais me pendre, être emprisonné en France que rentrer là-bas où.* Qui veut savoir ? Ce Serbe schizophrène, direction le Luxembourg il s'était enfui d'un asile psychiatrique, *et je vais tous vous tuer !* Personne ne lui délivre de laissez-passer et qui veut de lui ? Personne. *Je vais tous vous massacrer !* Les retenus, la peur au ventre, *il va nous tuer il est fou, dans notre sommeil, faites-le interner.* Qui veut savoir, ce Pakistanais, il a donné douze mille euros à un passeur pour traverser les frontières *moi pas vouloir quitter France, pas quitter femme, elle gentille* tandis que sa compagne, au bout du fil, annonce que peut-être, oui, mais comment savoir, un retard, oui, de quelques jours, il faudrait faire un test, *je n'ai pas eu mes règles comme prévu.* Qui veut savoir – mais d'où vient-il ? D'Azerbaïdjan ? Il a avalé une lame de rasoir il ne veut pas partir il en avalera une autre, *la perforation d'estomac, j'm'en fous.* Qui veut savoir cette mère, arrêtée une fois déjà et ses enfants à la sortie de l'école – et quel crime ? Les hommes qui ne se lavent plus. Qui veut savoir ? Ce Malien couvert d'hématomes il ne rentrera pas, il refuse d'embarquer *Je peux pas rentrer là où j'ai rien et mes enfants sont morts.* Qui veut savoir ? Ce Roumain, *Y a pas d'travail, faut payer les douaniers, faut payer tes employeurs, tout le temps, les anciens communistes sont devenus les nouveaux capitalistes et c'est le bordel.* Qui veut savoir ? Cet Albanais et sa « fille », la prostitution jusque dans le centre, le niveau de préservatifs qui baisse d'un coup, les retenus qui vont retirer l'argent, trois, quatre fois par semaine. La fille : *J'couche pas avec les Noirs.* Qui veut savoir ? Ces Thaïlandaises arrêtées sur des champs en Dordogne où elles ramassaient des fraises pour un salaire d'un euro par jour. Qui veut savoir ? Cet Ivoirien *Je suis en France depuis dix ans, ma compagne est enceinte je travaille sur un marché* Et quelles sont vos garanties de représentation ? *Les quittances sont au nom de ma compagne je n'ai pas de fiches de paye, pas de papiers et qui peut dire que j'habite ici depuis si longtemps puisque je n'ai pas d'existence officielle et qui peut prouver que je suis bien intégré, que je vais fonder une famille et donnez-moi un travail légal et qui pourra témoigner en ma faveur – je n'existe pas, je n'ai pas d'identité.* Qui veut savoir cet Algérien qui s'est déshabillé et badigeonné d'excréments *Car je ne veux pas partir je suis en danger de mort là-bas, ils vont m'égorger* et Qui veut savoir les gendarmes avec leur lasso pour l'attraper comme une bête sauvage *Les droits de l'homme, mon cul*, et avec des draps finalement dans le cabinet médical cet immigré couvert de merde qui en voudrait ? Qui veut savoir la misère, l'inculture Celui qui ne sait pas lire et écrire Celle qui ne connaît que son nom Ceux qui ont été esclaves en leur pays Celles qui ont été violées, battues, excisées Qui veut savoir la dictature Celui qui a été communiste, qui a été rwandais, qui a été bosniaque Qui a aimé Staline haï Milosevic et Qui veut savoir le regard de ce Tchétchène *moi j'ai rien à vous dire* et dans ses yeux la guerre mais tu ne sais pas *Inch'Allah si je sors de là j'écrirai un livre* Qui veut savoir cet Egyptien nu, avec son drap déchiré autour de la taille, une couronne de buissons sur la tête, il court, il court, où va-t-il ? en criant *je suis un soldat de Pharaon !* Qui veut savoir cet Africain, il a le sida, et *j'vais mourir si j'retourne chez moi où y a pas d'traitement !* et cet autre – un illuminé a dit le médecin, il fait de la magie noire, *je communique avec Jacques Chirac, j'vais vous faire sortir* – A l'asile de Meaux ! Qui veut savoir la peur, la résignation, la Bête se réveille, et ils ne sont pas comme nous, ils ne nous comprennent pas et Qui veut savoir *Aidez-moi je t'en prie Vous êtes écrivain, madame ? Dites-leur regardez comment on nous traite et le pays des droits de l'homme c'est ça Dites-leur qu'on a peur, qu'on a froid on peut bien crever et pourquoi on me traite comme ça je suis un homme Dites-leur J'ai rien fait, j'ai pas volé, j'ai pas tué Dites-leur Je suis un homme. Dites-leur je veux rester, je veux pas mourir, Dites-leur je suis jeune, dites-leur la peur, la guerre, la misère, je suis un homme, je suis un homme*

29

Est-ce que j'avais voulu savoir ? Mes parents, leur
arrivée à Paris, à dix-sept ans, seuls et rien que
l'amour de la France, les rêves de liberté que ce nom
évoquait et nous sommes partis à cause des *événements* – pour moi, ce mot est resté associé à la fuite,
à la peur, à la violence. Est-ce que j'avais voulu
savoir, mon père, la chambre de bonne minable à
Pigalle, les toilettes sur le palier et – orphelin de père
à seize ans à l'âge où –, seul et sa famille à charge,
regroupement familial dans une tour de la banlieue
nord. Est-ce que j'avais voulu savoir l'accent, cette
bête sauvage, imprévisible, indomptable qui griffait
chacun de leurs mots, mordait leur langue, grattait
leur palais, cette bête qu'ils tentaient désespérément
de maîtriser, l'accent qui les trahissait à la moindre
contrariété ? Est-ce que j'avais voulu savoir *Marche
ou crève, on a mangé de la vache enragée, sept jours
sur sept à travailler comme des chiens pour que* toi (et
je devinais derrière ces mots la part d'abnégation, de
sacrifice)*, toi, tu aies tout ce que nous n'avons pas eu,*
je n'entendais pas, je n'écoutais pas, je ne voulais pas
être une fille d'immigrés, étrangère dans le regard

des autres, j'étais française, et la fierté dans ma bouche lorsque je prononçais ces mots, la fierté qui était fille de ma honte, la honte de mes origines qui m'a quittée au contact de mes semblables, marche ou crève, c'est ce que je me répétais à présent, les codes sociaux, la complexité de la société humaine, marche ou crève, nous étions ignorants, tout cela me sautait à la gueule, un clown à une veillée funèbre, et j'étais cette invitée sobre perdue au milieu de gens ivres, grisés par l'alcool, trop lucide, si jeune et clairvoyante, comment transformer la vision tragique du monde, oh ! l'humour qui a sauvé les miens contre l'absurdité du monde, la bêtise, la violence, les préjugés et nous en riions puisque nous n'osions pas en parler, nous opposions la comédie à la tragédie, et ils étaient nos semblables ces étrangers affublés comme des bouffons, enfermés, traqués, ces hommes qui n'étaient pas nés au bon endroit, au bon moment et quel accueil leur réservions-nous, pourquoi personne n'ouvrait la porte, qui serait là pour recevoir l'Étranger car en lui se cache peut-être un ange, un messager comme dans les contes bibliques, et mes parents avaient été aidés, soutenus, naturalisés et qu'est-ce qui avait changé en quelques décennies, quelle sorte d'homme était devenu l'Étranger pour qu'on l'enfermât ainsi ?

Le dernier Juif errant.

O brutalité du monde – et les hommes salent les plaies ouvertes.

Souviens-toi !

30

Souviens-toi ! me répétais-je, que tu es une fille d'immigrés. Souviens-toi d'où tu viens.

Longtemps, j'ai admiré, j'ai envié ces fils et filles dont les parents étaient français depuis plusieurs générations, ceux et celles qui portaient des noms français. Ces enfants gâtés qui évoquaient leurs ascendants, passaient leurs vacances dans des maisons de famille, retraçaient leur généalogie exemplaire, qui déambulaient dans des appartements remplis de vieux meubles, de grimoires, d'objets anciens, datés, ayant appartenu à d'autres – les leurs. Je me sentais lésée, privée de mes origines. Des miens, je savais qu'ils avaient quitté leur pays par bateau, qu'ils étaient arrivés en France avec dix francs en poche. Je réfutais mon histoire, négationniste réactionnaire. J'enjolivais, je réécrivais – je mentais par omission. Ah, les devoirs qui pesaient sur nous ! Les fils et filles d'immigrés ont une obligation de réussite. Premiers ou rien. Et nous y arrivions, marche ou crève, il fallait apprendre, travailler et au bout la menace : la révélation de l'imposture. A chaque fois que je réussissais à accomplir quelque chose, j'imaginais que quelqu'un me démasquerait, dévoilerait mon incompétence, c'était une question d'heures, de jours, cette fille n'est pas celle que vous croyez, elle vous dupe depuis le début ! Il y a tromperie, erreur, vice de forme ! Ils étaient lourds les rêves de mes parents, trop lourds pour moi. Une vie à construire. Je suis devenue écrivain pour *détruire*. J'écrivais *contre*. Contre mes origines, mon histoire, contre les miens, contre l'amour, contre nos systèmes de pensées, nos névroses, contre nos certitudes, nos unions, nos obligations. Contre nos coutumes, nos impératifs moraux, nos obsessions mémorielles, notre sens du devoir, nos complexes, contre notre susceptibilité, l'exhibition de nos failles, nos démonstrations de force. Contre moi. C'était une forme de fuite. Je n'en trouvais pas d'autres. Et j'aimais ces gens sur le départ, ces hommes et ces femmes prêts à déconstruire leurs vies pour bâtir ailleurs, ces êtres aux identités incertaines, aux regards éteints, ces générations sacrifiées qui avaient fait de leurs existences un puzzle auquel il manquait des pièces, ces migrants si semblables aux écrivains qui cherchaient les phrases justes, la combinaison idéale, essayaient les pièces, les déplaçaient ; les mots, les hommes, ces migrants qui traversaient nos mondes réels et intérieurs – l'univers n'avait-il pas été créé avec des lettres dispersées ?

L'étranger, c'était moi. En public, la peur au ventre comme si je parlais avec un accent imaginaire qui écorchait toutes mes phrases, ces mots que je choisissais avec tant d'efforts par amour de la langue, une intonation grotesque qui aurait suscité l'hilarité générale. L'étranger, c'était moi, en privé, toujours sur mes gardes, trop méfiante, à l'affût du danger – l'attachement.

Très tôt, j'ai eu une passion pour les gens d'Europe de l'Est. Mes proches y voyaient la manifestation du refus de mes origines. A nos chaleureuses et exubérantes figures méditerranéennes, je préférais les gens froids, excessivement réservés. Je trouvais dans leur hostilité au monde, une nouvelle raison de les désirer. Les gens aimables, ceux qui sympathisent trop vite m'ont toujours paru suspects. Comme eux, j'étais farouche, je résistais, il me fallait des mois, parfois des années pour tisser des liens durables. En compagnie d'immigrés, je me sentais à égalité. Enfin moi-même. Mes complexes s'effaçaient. Les masques tombaient. Les miens, c'étaient les déracinés, les apatrides. Souviens-toi, me répétais-je, que tu es fille d'un peuple d'exilés – le syndrome de l'émigrant est une maladie juive héréditaire. Une fois par an, au mois d'avril, pendant la fête de *Pessah*, les Juifs se rappellent qu'ils ont été en exil. Qu'ils resteront toujours plus ou moins des étrangers dans leur condition. Où qu'ils aillent. Et l'histoire de ces hommes, le récit de Yuri m'avaient touchée parce qu'ils évoquaient ces mondes perdus que je cherchais en vain dans les livres et les yeux enténébrés des miens.

Je voulais revoir Yuri. Je savais à quel endroit il retrouvait des ouvriers moldaves qu'il transportait vers des chantiers.

Le lendemain de mon arrivée, à 8 heures du matin, je me suis rendue, en voiture, près d'un immense entrepôt de matériaux, sur les quais de Seine. Là, sur un chemin escarpé, à l'abri des regards, quatre ou cinq hommes patientaient dans un coin. Ils fumaient. A leurs pieds, des sacs de sport. Même scène que le jour de mon arrestation. Une camionnette blanche s'est arrêtée sur le bas-côté. Du lieu où je me trouvais, je ne distinguais pas le visage du conducteur. Les hommes sont montés à l'arrière du véhicule. Je l'ai suivi. Le conducteur a déposé les hommes sur un chantier aux environs d'Ivry-sur-Seine. Puis il a repris la route jusqu'à Vitry. Il a stationné son véhicule sur une grande avenue. Enfin, il est sorti. Mais ce n'était pas Yuri.

Pendant deux semaines, tous les après-midi, après avoir passé la matinée à écrire, je sortais dans l'espoir de le rencontrer par hasard, dans le métro, un magasin d'outillage, le siège d'associations venant en aide aux immigrés clandestins. J'arpentais les quartiers les plus populaires, les églises. Malgré les dénégations du retenu moldave qui m'avait assuré que Yuri venait du même village que lui, je participai même à une manifestation de soutien à l'opposition biélorusse, je le cherchai parmi les participants, je me berçais de leur langue, je les observais – épidémiologiste rigoureux. Je passais mon temps dans les lieux fréquentés par les clandestins, je découvrais ce monde parallèle, ces hommes, ces femmes, privés d'identité, craignant d'être arrêtés, ces ombres qui vivaient parmi nous – nous les légitimes, les réguliers.

32

Je ne l'ai pas retrouvé. J'ai réservé une place dans le premier vol pour Buenos Aires. J'avais décidé de passer quelques semaines chez une amie, pour écrire, de partir à l'étranger, de partir loin. J'ai préparé ma valise, je n'ai emporté que le strict minimum. Mes parents m'ont accompagnée à l'aéroport. Pendant le trajet, je ne cessai de penser à Yuri : où était-il à présent ? Dans quelle ville, quel pays ? Sur la route, j'ai demandé à mon père de bifurquer vers la gauche, d'emprunter la direction aérogare 3 et de suivre le panneau : CENTRE DE RÉTENTION ADMINISTRATIVE. Nous sommes arrivés devant les hautes grilles vertes. Mon père a stationné le véhicule sur le bas-côté. « C'est ici », ai-je dit en désignant les bâtiments et les grilles surmontées de barbelés. Je me suis approchée. Plusieurs hommes se tenaient immobiles, imperturbables ; les yeux rivés au ciel. Parmi eux, j'ai reconnu Samir, le travesti algérien toujours vêtu de sa robe noire. Trente jours s'étaient écoulés. Il n'avait pas été libéré. Une ombre retranchée de la société humaine. « Dépêche-toi, ton avion va partir ! » a crié mon père avec un accent prononcé – quand il s'emportait, il ne le contrôlait plus.

« Dépêche-toi ! a répété ma mère, tu n'auras pas le temps de faire les magasins de *duty-free* ! » Parfums, chocolats, cigarettes, crèmes de beauté, alcools, sacs à main et magazines, les boutiques achalandées, les achats avant le départ en avion, tu as ta carte d'embarquement ? Tu crois qu'ils vont nous servir un petit déjeuner ? Allez, montez, au fond ! Non, je ne possède ni arme ni coupe-ongles ! les passeports et le fric ! Près du hublot s'il vous plaît avec vue sur le ciel, vous pisserez dans cette bassine, posez vos affaires sur le tapis merci, tu voyages en classe économique ? Tu as vu ma tête sur mon passeport ? J'ai visité le Mexique, l'Australie et la Chine, vous n'avez rien à déclarer ? On roulera sans s'arrêter. Je ne supporte pas le décalage horaire si les enfants crient, j'les fais descendre. Par ici s'il vous plaît, que voudriez-vous boire ? Dix heures d'avion, c'est long. Vingt-quatre heures de route, vous n'avez qu'à crever, j'en ai rien à foutre !

Nous vous souhaitons un agréable voyage.

Quelques mois se sont écoulés. J'écrivais ce livre. Tous les mardis et jeudis matin, j'assistais aux audiences de la Chambre des 35 bis, au Palais de Justice de Paris. J'arrivais tôt, dès 9 heures, je patientais dans la salle d'attente, une pièce aux murs blanchâtres, en compagnie des avocats des retenus, des membres de leur famille. Un officier de police judiciaire nous faisait entrer, je m'asseyais au fond de la salle, je ne prenais pas de notes, j'écoutais. Les juges me dévisageaient, le regard plein de morgue et de méfiance, se demandant qui j'étais, ce que je faisais là *et quelle journaliste encore*. Je ne posais aucune question, j'attendais.

Un matin, j'ai reconnu Yuri parmi les hommes qui ont été présentés devant le juge. C'était un homme éteint. Il avait beaucoup maigri. Ses traits s'étaient creusés. Son visage pâle, à l'ossature fine, trahissait la fatigue et l'anxiété. Il portait un pantalon noir, des espadrilles blanches et une chemise à carreaux. J'ai eu un choc en le voyant traverser la salle, accompagné de son avocat, un homme brun, de taille moyenne, au regard vif. J'étais affolée, troublée. En quelques minutes, tout ce que j'avais construit, bâti pendant ces longs mois était piétiné, saccagé. Il m'avait fallu du temps pour l'oublier.

Il ne m'a pas vue. J'étais assise derrière lui, j'observais son dos voûté, ses cheveux qui avaient légèrement blanchi et qu'il avait laissé pousser. Il s'est assis, a gardé les yeux baissés comme s'il fixait un point sur le sol.

Le juge a fait un commentaire sur la tenue vestimentaire de la représentante de la Préfecture, une jeune femme blonde, élégante. *Vous devriez toujours vous mettre en jupe, ça vous va bien.* La fille a rougi.

J'appris que Yuri avait été placé au dépôt, dans les sous-sols du Palais de Justice de Paris : le centre de rétention le plus insalubre de tous. Un homme m'avait raconté que les retenus dormaient à plusieurs dans une chambre minuscule, erraient d'un banc à un autre dans une salle délabrée, sans lumière extérieure, sans espace vert, dans le dénuement matériel et moral le plus total. Certains avaient même tenté de s'y suicider. Yuri a passé sa main sur son front.

— Vous êtes bien Dinu Nicolescu ? a demandé le juge.

— Oui.

Il affirmait être un autre. J'écoutais, le juge enchaînait les questions avec une régularité terrifiante.

— Vous êtes né le 22 avril 1960 à Bucarest ? Vous êtes de nationalité roumaine ?

— Oui.

— Vous avez fait l'objet d'un arrêté de reconduite à la frontière, hier, suite à un contrôle d'identité que vous avez subi, à 19 heures. Vous étiez dans le métro avec votre femme et votre fils, votre enfant ne possédait pas de titre de transport valable.

— Oui.

J'ai eu un choc. Je n'écoutais plus la suite, brouhaha indistinct, il avait dit : *avec votre femme et votre fils.*

— Vous avez un passeport ?

— Non.

— Où est votre passeport, vous vous promenez sans passeport ?

— Il est chez mon frère.

— Et où est votre frère ?

— Je ne sais pas.

— Vous n'avez pas de passeport parce que vous savez que vous n'avez pas le droit de rester en France.

L'avocat s'est levé :

— Mon client a une femme, un enfant, il a quitté Bucarest pour raisons médicales.

Qui mentait ? Qui manipulait l'autre ? L'avocat a continué.

— Le fils de mon client est atteint d'une maladie grave et rare. En Roumanie, il ne bénéficie pas des traitements appropriés, il risque de...

— Ce n'est pas de mon ressort, a tranché le juge, sèchement.

La représentante de la Préfecture s'est levée :

— Monsieur séjourne en France avec sa femme et son fils clandestinement. Il n'a pas de garanties de représentation, il n'a pas de domicile attesté, alors je sollicite son maintien en rétention pour cinq jours afin d'organiser son départ vers la Roumanie.

— Vous avez compris ? a demandé le juge.

Sans attendre la réponse de Yuri, il a dit :

— Vous restez au dépôt. Le séjour irrégulier en France est un délit pénal. Vous ne devez pas revenir en France, une place dans un vol pour Bucarest est retenue pour vous. Je vous rappelle que votre femme n'a pas le droit de rester en France.

Il s'est tu un instant avant d'ajouter :

— Il faut qu'elle parte même si je ne peux pas occulter la dimension humaine.

Des mots vains.

Cas suivant !

Je ne voulais pas croiser son regard. Je me suis levée, sa tête a pivoté. J'ai poussé violemment les portes battantes, descendu les marches, traversé les longs couloirs du Palais en courant jusqu'à la grande sortie principale. Le soleil m'a aveuglée. Au loin, des milliers d'oiseaux migrateurs zébraient le ciel.

On estime entre deux et quatre cent mille le nombre de personnes en situation irrégulière en France. Chaque année, environ quinze à vingt-cinq mille d'entre elles sont renvoyées vers leur pays d'origine. En 2003, la durée de rétention est passée de douze à trente-deux jours.

Il existe vingt et un centres de rétention en France. Cinq centres sont destinés à recevoir des familles.

Le centre de rétention du Mesnil-Amelot est l'un des plus modernes – le seul que j'ai été autorisée à visiter...

REMERCIEMENTS

A Manuel Carcassonne qui m'a soutenue, encouragée à tous les stades d'élaboration de ce livre.

Olivier Nora, Elsa Gribinski, Christophe Bataille, Michèle Fitoussi pour leur lecture attentive.

Maurice Szafran, Laurent Solly, Maxime Tandonnet, qui ont facilité toutes mes démarches.

Jean-Noël Chavanne, qui m'a autorisée à visiter le centre de rétention administrative du Mesnil-Amelot.

Le capitaine Pascal Telle, directeur du centre de rétention administrative du Mesnil-Amelot qui m'a ouvert les portes du centre avec bienveillance.

Le capitaine Joël Fournet, commandant d'unité des escadrons 34/2 Saint-Gaudens.

Tous les membres du personnel du centre de rétention du Mesnil-Amelot qui ont accepté de répondre à mes questions.

Aux militants de la Cimade qui m'ont renseignée, aidée, et particulièrement Benoît Merx.

Maître Anna Salabi pour ses précieux conseils juridiques.

Toutes les personnes retenues au centre de rétention administrative du Mesnil-Amelot qui ont accepté de parler en ma présence.

Tous les hommes et femmes en situation irrégulière qui m'ont raconté leur histoire.

PAPIER CERTIFIÉ

Le Livre de Poche s'engage pour l'environnement en réduisant l'empreinte carbone de ses livres. Celle de cet exemplaire est de :
300 g éq. CO_2
Rendez-vous sur www.livredepoche-durable.fr

Composition réalisée par PCA

Achevé d'imprimer en France par
CPI BUSSIÈRE (18200 Saint-Amand-Montrond)
en avril 2024
N° d'impression : 2077256
Dépôt légal 1re publication : avril 2006
Édition 08 - avril 2024
LIBRAIRIE GÉNÉRALE FRANÇAISE
21, rue du Montparnasse – 75298 Paris Cedex 06

31/2285/0